Zwicker, J. M,

Beispiele von edlen und schoenen Handlungen zur Erweckung und Befoerderung der Humanitaet

Zwicker, J. M,

Beispiele von edlen und schoenen Handlungen zur Erweckung und Befoerderung der Humanitaet

Inktank publishing, 2018

www.inktank-publishing.com

ISBN/EAN: 9783750100473

All rights reserved

Beispiele

von

edlen und schönen Handlungen

zur

Erweckung und Beförderung der
Humanität.

Zur Ehre der Menschheit

zusammengetragen

durch

J. M. Zwicker.

Unter den Unglücklichen beklagt man die am wenigsten, die
es durch ihre Schuld geworden sind; — sie sind aber am
meisten zu beklagen: der Trost eines guten Gewissens fehlt
ihnen.

Mit einem Kupfer.

Leipzig, 1805.
In Commission bey Heinrich Gräff.

Meinem Freunde

Herrn

Jean Louis Delesse

zu

St. Avold

in

Lothringen,

als einen geringen Beweiß meiner
dankbaren Gesinnungen

für die vielen wonnevollen Stunden, die mir
durch seinen veredelnden Umgang zu Theil
geworden sind, und aus reiner Hochschätzung
seiner wesentlichen Verdienste um die
Bildung der Jugend,

achtungsvoll gewidmet.

Vorerrinnerung.

—◉—◉—◉—

Der als Held und Dichter so rühmlichst bekannte Herr Major von Kleist, sagt irgendwo ungefähr folgendes : „Man glaubt durch Spöttereyen und lustigen Einfälle die Welt zu bessern, und es ist möglich, daß etwas Gutes dadurch gestiftet wird, ob ich gleich zweifle, daß es viel seyn würde! Die Menschen denken selten, daß sie die Urbilder der lächerlichen Abschilderungen sind, die man in den Schriften der Satirenschreiber findet; und machen gern andere dazu; wodurch sie denn eher boshafter, als besser

werden. Wäre es also nicht von gröf=
serm Nußen, wenn man der Welt Ge=
mälde von edlen Charakteren, tugend=
haften und großen Handlungen u. d. gl.
vor Augen legte, und sie auf diese Art
zur Nachahmung anfeuerte? Beispiele
von Verachtung der Reichthümer, von
Standhaftigkeit im Unglück, von ausser=
ordentlicher Freundschaft, seltener Treue
und Redlichkeit, Mitleiden gegen die Ar=
men und Hülfsbedürftigen, Aufopferung
seines eigenen Nußens für den Nußen
der Welt; und mit einem Worte, Bei=
spiele von Handlungen, die aus der Gröf=
se der Seele entsprungen sind, rühren un=
gemein, reißen zur Nachahmung, und
beffern mehr, als aller Spott und alle
Geißeln der Satire." — Dieß sey, an die
Herren Kritiker, vorläufig zu meiner
Rechtfertigung genug!

Lissa im Jänner, 1804.

J. M. Zwicker.

I.

Edelmuth in Niedrigkeit.

(Aus dem Englischen.)

Es ist bekannt, daß die brittische Regierung vor einigen Jahren eine Anzahl Kriminalverbrecher nach der Botany=Bay schickte, um eine Kolonie im südlichen Weltmeere in Neu=Südwallis anzulegen. Im Oktober des Jahrs 1786 erhielt der Aufseher des Kriminalgefängnis=

ſes in Norwich Befehl, diejenigen weib=
lichen Verbrecher, die bereits verurtheilt
wären, und ſich in ſeinem Gefängniſſe be=
fänden, nach Plymouth zu ſenden. Drei
unglückliche Weibsperſonen, denen die
Transportation zuerkannt war, wurden
folglich dahin geſchickt und der Sorgfalt
des Kerkermeiſters Simpſon überge=
ben. Die eine dieſer Elenden war Mut=
ter eines fünf Monat alten Kindes, ein
ſehr wohlgeſtaltetes Geſchöpf, das ſie von
dem Tage der Geburt an ſelbſt geſäugt
hatte. Der Vater des Kindes war auch
ein Kriminalverbrecher, und ebenfalls zur
Transportation verurtheilt. Er befand
ſich ſchon über drei Jahre in dieſem Ge=
fängniß. Schon oft hatte er den Wunſch
geäußert, daß es ihm erlaubt werden
möchte, dieſe Weibsperſon zu heurathen,
und ob er gleich wegen Abſonderung der

Kerker , selten Erlaubniß erhielt , das
Kind zu sehen, so zeigte er doch außer-
ordentlich viel Zärtlichkeit für dasselbe.
Die Mutter betrachtete es als ihren einzigen Trost im Elende, und bewieß diese
Gesinnungen durch die ausgesuchteste
Sorgfalt, es zu ernähren. Als der Be-
fehl wegen ihrer Abreise ankam, war der
Mann ganz außer sich, und flehte drin-
gend um die Einwilligung, Mutter und
Kind begleiten zu dürfen. Der Aufseher
des Gefängnisses nahm sich seiner an, und
wandte sich deshalb an den Minister,
der innländischen Angelegenheiten Lord
Sidney; aber die große Menge ähnli-
cher Bittschriften aus allen Orten des
Königreichs verursachte, daß der Mini-
ster dieß Gesuch aus Norwich abschlug.
Die Elende hatte sich noch immer mit der
Hoffnung geschmeichelt, in ihrer Kummer-

vollen Lage einen Ehemann zu bekom«
men, der sich dazu anbot, ihr Ge«
sellschafter und Beschützer auf einer lang«
wierigen, melancholischen Reise, in einer
entfernten und unbekannten Weltgegend,
zu seyn. Diese Hoffnung war nun auf
einmal vernichtet; — sie mußte allein
fort. Das Kind war jedoch immer in
ihren Händen, da die englischen Gesetze
ausdrücklich die Grausamkeit verbieten,
einen Säugling von seiner Mutter Brust
zu trennen.

Der Kerkermeister Simpson er«
hielt Befehl, sie an ihren Bestimmungs«
ort zu bringen.

Als dieser mit seiner Karavane in
Plymouth anlangte, fand er den Befehl,
die Verbrecher auf ein Arrestschiff zu brin«
gen, das im Hafen lag, und dazu dien«
te, die Gefangenen aufzubehalten, bis

das große Schiff zur Reise nach dem Süd-
meere in Bereitschaft seyn würde. Er
nahm also ein Boot, und fuhr nach dem
Arrestschiff, um die Weibspersonen abzu-
liefern. Es waren einige Formalitäten
vergessen worden, die dem Kerkermeister
unbekannt waren, daher sie der Befehls-
haber des Schiffs anfangs durchaus nicht
annehmen wollte, so, daß diese Unglücklichen drei Stunden lang im Boot auf
die Gnade warten mußten, in ihrem neuen
Wohnort, dem Sitz des niedrigsten Elends,
aufgenommen zu werden. Endlich ließ
man sie hereinklettern, allein nun ereigne-
te sich eine neue Szene. Der Schiffska-
pitain schlug es rund ab, das Kind an
Bord zu nehmen, und sagte, daß er dazu keinen Befehl hätte. Weder die dringenden Vorstellungen des ehrlichen Kerkermeisters, noch die Konvulsionen der

verzweiflungsvollen Mutter, konnten
den hartherzigen Kapitain dahin be=
wegen, das Kind nur so lange aufzuneh=
men, bis man den Willen des Ministers
darüber eingeholt hätte. Simpson war
daher genöthiget, das Kind zu sich zu
nehmen, und die halbrasende Mutter
wurde in ihre Zelle geführt, unter den
schrecklichsten Verwünschungen des grau=
samen Mannes, von dem sie jetzt ab=
hieng. Dieser gräßliche Zustand des ar=
men Weibes, die Unmenschlichkeit des Ka=
pitains, und der hülflose, verlassene
Säugling, wirkten auf das gute Herz
des Kerkermeisters so sehr, daß er be=
schloß, alles anzuwenden, um, wo mög=
lich, der Mutter wieder ihr Kind zu
verschaffen. Hiezu war kein ander Mit=
tel übrig, als sich ohne allen Zeitverlust
persönlich an Lord Sidney zu wenden.

Da er schon einmal diesen Minister, we=
gen einer menschenfreundlichen Angelegen=
heit, gesprochen hatte, und ihm sein An=
suchen auch gelungen war, so hoffte er,
es sollte ihm auch dießmal glücken, wenn
er nur dazu gelangen könnte, ihn selbst
zu sprechen. Er bestieg daher sogleich ei=
ne Postkutsche, die nach London fuhr,
wobei er das Kind den ganzen Weg auf
seinen Knien ruhen ließ, und es in allen
Wirthshäusern, so gut er konnte, nähr=
te und reinigte.

Bei seiner Ankunft in London über=
gab er seine Bürde der Sorgfalt einer
braven Frau, und eilte nach dem Pallast
des Ministers; allein weder dieser noch
einer seiner Sekretärs ließ ihn vor sich;
vielmehr wurde er angewiesen, sich nach
der entfernten Kanzley zu begeben, und
dort sein Anliegen anzubringen. Selbst

die Livrebedienten des Lords hielten es
für die unverschämteste Zudringlichkeit,
daß ein gemeiner Kerkermeister aus einer
Provinzialstadt in seinen Privatangele-
genheiten sogleich Audienz verlange, und
wiesen ihn ungestümm ab. Wahre Menschenliebe setzt sich aber über alle Formalitäten weg; sie handelt unter dem Ein-
fluß eines höhern Wesens, und geht ihren Gang fort, ohne sich durch Furcht
von Menschen aufhalten zu lassen.

Simpson drang in ein Zimmer ein,
und erzählte einem Sekretär seine Geschichte, der sie aufmerksam anhörte, und
ihm versprach, alles nur mögliche in dieser Sache zu thun; er äußerte aber dabei seine Besorgniß, daß er den Minister in einigen Tagen wohl nicht sprechen
dürfte. Um diese gute Gesinnungen werk-
thätig zu zeigen, versprach er, in dieser

Zwischenzeit einen Befehl wegen der Zu»
rückgabe des Kindes fertig zu machen,
damit er zur Unterzeichnung bereit wäre.
Dieses zu beschleunigen, entschloß sich
Simpson, im Hause zu warten, ob es
ihm vielleicht glücken würde, den Mini»
ster zufällig zu sehen. Glücklicher weise
durfte er nicht lange verziehen. Er ward
den Lord gewahr, der die Treppe herun»
ter kam; sogleich lief er hastig auf ihn
zu. Sidney zeigte natürlich einen Unwil»
len, sich so ohne alle Umstände angefal»
len zu sehn, und wollte ihn nicht anhö»
ren; allein der Kerkermeister kehrte sich
daran nicht, sondern erzählte ihm die
Ursache seines unanständigen Betragens
in wenig Worten; dabei beschrieb er ihm
das schreckliche Elend, davon er ein Au»
genzeug gewesen war, auf die rührende»
ste, Weise und schloß mit der Äusserung,

er fürchte, daß diesen Augenblick, da
er um Mitleiden für sie flehe,
das unglückliche Weib in der Wildheit
ihrer Verzweiflung wohl schon ihrer
Existens ein Ende gemacht haben dürfte.
Der Minister wurde gerührt, erkundigte
sich sehr genau nach allen Umständen, und
versprach auf der Stelle, daß das Kind
zurückgegeben werden sollte, wobei er
Simpson wegen seiner Menschenliebe,
die gebührenden Lobsprüche machte. Der
eines bessern Glücks würdige Kerkermeister
ward hiedurch ermuntert, eine neue Bitte
für den Vater des Kindes zu thun, die
auch gleich gewährt wurde. Der Lord
befahl, daß er ohne Verzug nach Plymouth gesandt werden sollte, um Mutter
und Kind nach Botany = Bay zu begleiten; er fügte hiezu den Befehl, sie zu
kopuliren, und versprach, die damit ver-

bundenen Kosten selbst zu bezah=
len.

Es wurde ohne Verzug ein Befehl
nach Plymouth geschickt, um der Elenden
diesen großen Trost zu geben, damit sie
die Ankunft des Kindes ruhig abwarten
könnte. Simpson machte die nöthigen
Verfügungen, damit es in seiner Abwe=
senheit wohl gepflegt werde, und reiste
sodann nach Norwich ab, wo er den
Vater des Kindes durch seine glückliche
Nachricht höchst angenehm überraschte.
Dieser Mensch ist jung und stark; über
dem ist er von keiner bösen Gemüthsart,
daher man, ohngeachtet seines vorigen
Verbrechens, alle Hoffnung hat, daß er
ein nutzbares Glied der neuen Kolonie
werden wird. Simpson führte ihn auch
nach Plymouth, und hatte die Zufrie=
denheit, zwei mit Verzweiflung ringen=

2

de Menschen über alle Erwartungen
glücklich gemacht zu haben.

Hiebei ist nöthig, zu bemerken, daß
der Kapitain Philips, der bestimmt ist,
die Verbrecher nach Botany = Bay zu
führen, ein Mann von einer ganz an=
dern Gemüthsart, als jenes grausame
Meerthier, ist, der das Arrestschiff kom=
mandirte; allein er hatte damals keine
Gewalt, sich in die Sache zu mischen.

Die obige Erzählung kann nicht bes=
ser illustrirt werden, als durch des wa=
ckern Simpsons eigene Worte. Folgen=
den Brief schrieb er aus Plymouth nach
seiner zweiten Ankunft an einen Freund
zu Bath:

„Lieber Herr“,

„Mit dem größten Vergnügen gebe
ich Ihnen die Nachricht von meiner glück=
lichen Ankunft zu Plymouth mit meiner

kleinen angenehmen Bürde. Es ist eine
weit geschicktere Feder, als die meinige,
erforderlich, die Freude zu beschreiben,
mit welcher die Mutter ihren Säugling
und den ihr zugedachten Ehemann em=
pfieng. Ich will blos sagen, daß bei=
der Entzückungen ausserordentlich waren;
daß die Thränen strommweise von ihren
Augen flossen, und daß das unschuldige
Lächeln des Kindes beim Anblick der
Mutter, die für dasselbe ihre Milch auf=
bewahrt hatte, auch Thränen aus mei=
nen Augen preßten, und, daß ich mit
der größten Wehmuth mich von dem
Kind trennte, nachdem ich mit demselben an
400 englische Meilen vor = und rückwärts
gereist war, und es beständig auf mei=
nem Schoose getragen hatte. Die Se=
genswünsche aber, die ich in allen Wirths=
häusern auf den Landstrassen erhielt, ha=

2 (2)

ben mich reichlich belohnt. Ich verbleibe
mit großer Hochachtung

Ihr

Plymouth,   geh. Diener
am 26 Nov. 1786.   John Simpson."

Die uneigennützige, mühevolle Hand=
lung eines durch seinen Stand so verach=
teten Menschen wurde bald im ganzen
Königreich bekannt, und erregte allge=
meine Bewunderung. Man erinnerte
sich dabei an die oft gethane Äußerung
des berühmten Doktor Johnson, der
zu sagen pflegte : Dem menschen=
freundlichen Kerkermeister müs=
se eine Bildsäule errichtet wer=
den. —

———

II.

Vorsehung und Menschenliebe.

—◉—◉◉◉—◉—

(Eine Begebenheit an dem Wasserfalle des Flusses Niagara. *)

Alle Wasserfälle am Nil, in der Schweiz, und in andern großen Flüssen sind mit jenem am Flusse Niagara in Nordameri-

---

*) Die Abbildung dieses Catarakts und die Beschreibung findet man auch in Isaaks Welds Reisen durch die Staaten von Nordamerika und die Provinzen von Ober = und Unter Canada in den Jahren 1795 bis 1797.

Ra nicht zu vergleichen. Worte können
es nicht ausdrücken, was für eine unbe=
schreibliche Menge von Waſſer er aus
den größten Seen des Landes bekommt,
und von welcher entſeßlich ſteilen Höhe
ſich dieſe ungeheure Waſſermaſſe in den
tiefſten Abgrund ſtürzt.

In der Mitte des Stroms liegt noch
dazu eine, 1300 Fuß lange Inſel, durch
welche das herabſtürzende Waſſer in zween
Ströme getheilt wird. Ehe das Waſſer
an dieſe Inſel kommt, iſt der Lauf gar
nicht ſchnell; ſo bald ſichs aber derſelben
nähert, wird es der reiſſendſte Stromm
in der Welt. Eine Welle ſtürzt über die
andere und entſlieht mit pfeilſchneller Ge=
ſchwindigkeit. Das Schäumen und Ge=
töſe des mit ſolcher Geſchwindigkeit her=
abſtürzenden Waſſers iſt über alle Be=
ſchreibung. Man hat bisher die eigent=

liche Höhe des Falles nicht bestimmen kön=
nen, weil alle Mittel vergeblich gewesen
sind. Das Senkbley hat der Stromm
mit fortgerissen. Man hat es also nach
verschiedenen Winkeln versucht, und ge=
funden, daß die eigentliche Höhe des
Falls vom Rande der, obersten Höhe bis
zur Tiefe des Abgrundes, oder bis auf
die Wasserfläche unter dem Fall, 142 Fuß.
beträgt. Das daher entstehende Getöse
kann man bei stillen Wetter auf 15 fran=
zösische Meilen hören.

So wie die ungeheure Wassermasse
den Boden erreicht, so springt sie wieder
eine gewaltige Höhe zurück. Dieß giebt
denn das erstaunenswürdigste Schauspiel.
Alles mit Schaum bedeckt. Das Ganze
einem kochenden Kessel ähnlich. In der
Ferne sieht der Dunst aus, als wenn
alle Wälder in Rauch und Flamen stän=

den. In der Nähe aber sieht man da=
rinn Regenbogen über Regenbogen. Alle
Thiere, welche ober dem Falle zu nahe
kommen: Rehe, Hirsche, Wasservögel so=
gar, u. s. w. werden mit fortgerissen,
und in den Abgrund gestürzt. Nichts
kann sich in dem Falle halten, noch we=
niger auf die in der Mitte des Flusses
liegende Insel kommen.

Gleichwohl sind einmal z w e e n In=
d i a n e r, die auf der Jagd waren, da=
hin verschlagen, und sowohl durch eine
besondere Vorsehung, als durch die
Menschenliebe ihrer Brüder, glücklich geret=
tet worden. Diese ruderten etwa eine Meile
vom Fall den Stromm herauf. Der
Schlaf überfiel sie. Sie legten daher ih=
ren Kanot am Ufer fest, und schliefen ein.
Der Kahn arbeitete sich los, und gieng
mit diesen beiden in guter Ruhe schlafen=

den Indianern, gerade auf den Fall zu:
Durch das Getöse wachten sie auf. Man
kann sich ihr Schrecken vorstellen, da es
unmöglich war, eines von den beiden
Ufern zu erreichen. Sie mußten sich ihrem Schicksal ergeben, und aus zwei
Übeln eins wählen: entweder an der Insel zu landen, oder mit in den Abgrund
zu fahren.

Sie wählten in der Geschwindigkeit
das erste. Doch kostete es nicht wenig
Schwierigkeit, wegen des schnellen Stroms,
der das leichte Kanot geschwinder als
der Blitz, fortriß, an der Insel zu landen. So weit brachte sie die Vorsehung
des Menschenvaters, der den Wilden sowohl, als den Europäer zu erhalten
sucht. Allein, was war diesen beiden
armen Geschöpfen dadurch verbessert? Le-
bensmittel waren auf der ganzen Insel

nicht. Mit dem Kanot nach dem festen Lande zu kommen, war unmöglich, und eben so unmöglich konnte einer von ihren Landsleuten zu ihnen kommen. Da saßen sie nun in voller Verzweiflung, und waren in der That fast noch unglücklicher, als wenn sie plötzlich in dem Wasserfall umgekommen wären. Denn. allem Anschein nach mußten sie hier langsam verhungern.

Was. lehrt aber nicht die Noth erfinden, wenn es auf Rettung des Lebens ankömmt? Da der Felsen an der niedrigen Seite der Insel senkrecht, und frey vom Wasser war; so suchten sie sich diesen Umstand zu Nutzen zu machnen; zumal, da sie viele Lindenbäume mit starker und zäher Rinde antrafen. Sogleich verfertigten sie sich von Lindenrinde eine lange Leiter, deren Obertheil sie an einem Bau=

me, der nahe am Waſſer ſtand, befeſtig=
ten. Den andern Theil warfen ſie ins
Waſſer, und hofften nun durch dieſes
Mittel das andere Ufer zu erreichen.

Meine Leſer, nicht wahr? freuen ſich
ſchon, ſie am andern Ufer — und ge=
rettet zu ſehen. Allein, da das Waſſer,
vor dem Fall auf beiden Seiten der In=
ſel, hier mit der größten Wuth gegen
einander ſtieß; ſo wurden die armen
Wichte von dem Strome nicht nur zurück
getrieben, ſondern mit ſolcher Gewalt an
den Felſen geſchleudert, daß ihnen Arme
und Beine zerquetſcht wurden. Sie raff=
ten ſich alſo mit ihren erſchütterten Kno=
chen zuſammen, ſo gut ſie konnten, und
ſuchten, vermittelſt ihrer Leiter, wieder
auf die Inſel zu kommen, welches ihnen
dann auch kümmerlich genug glückte. Nun
ſahen ſie nichts, als die Unmöglichkeit

ihrer Rettung vor Augen, und entschlof=
fen sich, mit Geduld den Tod zu er=
warten.

Indessen wurden sie doch gerettet.
Ich bin aber gewiß, wenn meine Leser
die Art und Weise rathen sollten: sie wür=
den ihre Lebenszeit vergeblich rathen.
Vorsehung und Menschenliebe
retteten sie, und zwar eine Menschenlie=
be, die man unter Wilden nicht suchen
sollte, und die sich selbst in gleiche Le=
bensgefahr wagen mußte. Ja! die Vor=
sehung des Gottes, den sie nicht ein=
mal kannten, rettete sie.

Das erste, was sie dazu that, war
dieses, daß sie es so fügte, daß sie einige
Stunden nachher am jenseitigen Ufer des
Flusses vier von ihren Landsleu=
ten gewahr wurden, denen sie ihren
traurigen Zustand durch Zeichen zu er=

kennen gaben. Diese konnten weiter nichts thun, als Mitleiden mit ihnen haben. Sie giengen aber doch nach dem Fort Niagara, und zeigten dem Kommen= danten den Vorfall an. Dieser war nicht nur ein Menschenfreund, sondern ein er= finderischer Kopf, der die Beschaffenheit und Lage der Gegend kannte. Sogleich ließ er Stangen kommen, und solche mit eisernen Spitzen beschlagen. Wie wäre es, sagte er zu den Indianern, wenn ihr mit diesen Stangen durch den Fluß setz= tet, um eure Landesleute zu retten, oder umzukommen. O!" ein seltenes Beispiel von blinden Heiden zu der Christenpflicht: ihr Leben für die Brüder zu lassen!

Da das Wasser auf dieser Seite der Insel eben nicht tief war; so nahm jeder zwo Stangen in die Hände, um

nicht zu wanken. Glücklich kamen sie
auf der andern Seite an, theilten ihre
Stangen aus, und nun setzten sie alle
sechse getrost wieder durch den Strom,
und brachten ihre geretteten Landsleute
im Triumph ans feste Land, — und die=
se hatten denn doch n e u n T a g e nichts
als Wurzeln und saftige Baumzweige
gegessen.

Dieß Rettungsmittel mit den Stan=
gen gereichte in der Folge den Indianern
zum größten Vortheil. Sie setzten nun
oft auf solche Art durch den Strom,
um die Rehe auf dieser Insel zu fangen,
welche die Gewalt desselben, wenn sie
durchschwimmen wollten, dahin getrieben
hatte.

III.

Züge aus dem Charakter des großen Türenne.

—⊚—⊚—⊚—

Türenne besaß alle Eigenschaften eines Helden, und überdieß die edle Einfalt der Sitten, die den Glanz dieser Vorzüge noch mehr erhebt. Niemand war gütiger, sanftmüthiger, leutseliger, als er. Er glänzte nicht durch die Talente für die Unterhaltung in Gesellschaften, aber kein Feldherr hat ihn an durchdringendem

Verstand, richtigerer Beurtheilungskraft und tiefern Einsichten übertroffen. Sein Muth war kalt und bedächtlich, sein Blick sicher und zuversichtlich, jederzeit wußte er seine Einbuße wieder gut zu machen, und mit wenigem viel auszurichten. Ludwig XIV. lernte unter seiner Anführung den Krieg, und that verschiedene Feldzüge mit ihm, wobei er blos hörte, blos anführte, nichts entschied.

Seine ersten Feldzüge that er unter seinem Onkel, mütterlicher Seits, dem Prinz Moriz von Nassau. Er mußte von unten auf dienen, in seinem drei und zwanzigsten Jahre war er Mareschall de Camp, im zweyunddreyßigsten Mareschall von Frankreich, und im achtundvierzigsten Generalfeldmareschall der sämmtlichen königlichen Armeen. Seine Feldzüge, besonders die von 73, 74 und 75 fir:d von Kennern bewundert worden, er mußte fich wegen feinen kleinen Armeen vertheidigungsweife betragen, griff zu= gleich die Feinde an, und fchlug die ungleich ftärkern.

Sein Leben ift eine Reihe edler, gro= ßer, glänzender Thaten und menfchen= freundlicher, weifer Handlungen. — Auf einem befchwerlichen und langen Rückzu= ge hatte fich ein Soldat entkräftet, bei einem Baum niedergeworfen, um das Ende feiner Leiden zu erwarten. Türen= ne ritt in dem Augenblicke vorbei, fah den Unglücklichen, ftieg vom Pferde, half dem entkräfteten Soldaten hinauf, und gieng zu Fuße neben her, bis er ein Fuhr= werk erreichen konnte, um ihn bequemer fortzubringen.

Auf einer Retirade fah er einige Reuter, die vor den Flintenkugeln, fo von

3

einem Hügel kamen, die Köpfe beugten, aus Furcht vor dem Marschall aber sich sogleich aufrichteten. „Nein, nein," rief ihnen Türenne zu, „das schadet nicht, so was verdient wohl einen Reverenz."

Die Armee nannte ihn ihren Vater. Als er im Winter 73 die Feinde aus Westphalen verdrängen wollte; und, von Strapazen ermüdet, hinter einer Hecke sich schlafen gelegt hatte, kamen einige Mousquetiers, brachen Zweige von den Bäumen, ihm eine Lagerhütte zu machen, um vor dem Schnee gesichert zu seyn; einige Reuter deckten die Mäntel darüber. Türenne erwachte, und fragte sie, warum sie nicht marschirten? „Wir wollen uns unsern Vater erhalten," antworteten sie, „das ist unsre Sorge; denn wer brächte ihn uns, wenn wir ihn einbüßten, wieder in unser Land?" —

Türenne hatte es so weit gebracht,
daß er über den Plan eines Feldzugs
unumschränkter Herr war. Er gab nur
seinem Ludwig Nachricht davon.

Die beiden Könige von Spanien und
Frankreich sprachen einander auf der Fa-
saneninsel beim Pyrenäischen Frieden, und
einer stellte dem andern die angesehensten
Leute seines Hofs vor. Türenne blieb
unter den französischen Hofleuten verborgen, und Philipp ließ sich ihn zeigen.
Er betrachtete ihn mit der größten Aufmerksamkeit, wendete sich zu seiner Schwester, Anna von Östreich, und sagte zu
ihr: „Sehen Sie, das ist der Mann, der
mir so viel schlaflose Nächte gemacht hat.‟

In seinem Feldzuge von 75 gegen
den Montecuculi bewunderte man die
Kunst dieses großen Generals in vortheil-
haften Lägern und Märschen; die Ar-

3 (2)

meen standen an einem Dorfe Salzbach, einander gegenüber, man bereitete sich zu einer Schlacht. Türenne recognos= cirte die Anstalten des Feindes, als ihn eine unglückliche Kanonenkugel tödtete, die dem St. Hilaire, der ihn begleitete, den Arm wegriß. Mit Thränen im Au= ge rief dieser zu seinem Sohn, der ihn zu beklagen sich vor St. Hilaire niederwarf: „Nicht um mich, mein Sohn, sondern un diesen großen Mann muß man wei= nen."

Montecuculi rief voll Verwunde= rung, Mitleid und Kummer aus: „Wir haben einen Menschen verlohren, der der Menschheit Ehre machte!"

Frankreich beweinte in ihm seinen allgemeinen Beschützer und Vater; der König seinen Lehrer und Freund und Alles! —.

IV.

Dankbarkeit des Reichsgrafen
von Wit — ſtein, ehemaligen
Hauptmanns bei dem Prager
Akademiſchen Leibbataillon
Sr. Königl. Hochheit des
Erzherzogs Karl.

(S. patr. Tageblatt 1803. S. 613). *)

Als der alles verheerende Geiſt der bür=
gerlichen Unruhen in den blühenden Nie=

---

*) Dieſe Zeitſchrift, welche unter der Re=
daktion des verdienſtvollen Herrn Raths
und Schuldirektors Andre in Brünn
herauskömmt, verdiente überhaupt wegen

derlanden wüthete, und um diesem Un-
geheuer Einhalt zu thun, unsere Truppen
dahin beordert wurden, traf auch das
friedenstiftende Loos den Grafen W., der
damals unter des Prinzen de Ligne
Regimente die Lieutenantscharge beklei-
dete.

Gleich beim Anbeginn manigfaltiger
Nebentreffen gewahrte er, wie nachthei-
lig ein zu übereilter Jugendmuth, wie
verderblich öfters eine unüberlegte Drei-
stigkeit zu seyn vermag, und daß die

---

des gemeinnützigen Inhalts, in Jedermanns Händen zu seyn, besonders aber
in desjenigen, dem es um seine Bildung
und Fortschreitung mit seinem Zeitalter
zu thun ist. Die wenige Auslage von
6 fl. 30 kr. jährlich, bei einem so großen
Volumen von mehr als 200 Bögen, dürfte ... manden so leicht, auch bei den be-
schränktesten Umständen, gereuen.

größte einzelne Entschlossenheit eine weit
überwiegende Macht nicht immer hemmt.
Zu schwach, sich länger aufrecht zu er=
halten, überfäet von Wunden, sank der
kühne Held halb todt zu Boden. Un=
weit von ihm lag eben ein alter, ganz
verstümmelter Krieger, ein Mann, klug
durch Erfahrung, der nie verwegen wag=
te, ohne jedoch vor Gefahren zu zittern,
nie dem Tode scheuend entgegen sah, oh=
ne jedoch das Leben zu verachten. Die=
sem Graubarte gieng der bedauernswür=
dige Zustand des jungen Offizirs näher,
als sein eigner, eine Mitleidsthräne sil=
berte über die nervigte Wange hinunter.
„Braver Offizier,“ sprach er, „ich fühle
eure hülflose Lage. Wenn ja noch der
karge Überrest eines Labetrunkes euch ein
wenig zu erfrischen vermag, nehmt ihn
hin, euch kann er vielleicht mehr from=

men, wahrscheinlich bedarf ich in Kur=
zem seiner nicht mehr. Wartet sorgfäl=
tiger, euer junges Leben, hier nehmt mei=
nen Mantel, deckt euch damit, tausend
Gefahren haben mich abgehärtet, mich
mit dem Tode bekannt gemacht. Eure
Erhaltung des Lebens heischt das Vater=
land, das meine vermißt es leicht; für
euch hat es glänzende Würden, als Be=
lohnungen eurer Tapferkeit, für mich nur
noch eine Grube." — „Nein," stammelte
die matte Zunge des Grafen, „zu auf=
opfernd ist dein Anerbieten, als daß ich
Gebrauch davon machen sollte, zu edel
schlägt dein Herz, als daß der Frost vor
der Zeit dessen Schläge hemme, du hast
eine Gattin, die deiner mit schmerzlicher
Sehnsucht entgegenharret, du hast Kin=
der, die die baldige Zurückkunft ihrer
einzigen Stütze täglich von dem Allmäch=

tigen lallend erstehn; mein längeres Leben wünscht die Welt, das deine fodert sie. O, gütige Vorsehung, ist es dein Rathschluß, von unsren beiden Leben das eine zu fristen, o! so erhalte das seine, er ist es werth zu leben, er ist es werth Mensch zu seyn!" Aber beide sollten noch länger die Menschheit ehren, dies war des Allgütigen Wille.

Vor kurzer Zeit hielt sich W. als Hauptmann in B. auf, unverhoffterweise begegnete er einem Invaliden. Gott! welche Überraschung! als er den edlen Mann in ihm erkannte, der ihm damals seine letzte Hülfe anbot. Mit feurigen Zügen lebte in ihm alles auf, seine Seele dürstete nach der Wonne, dankbar zu seyn; er reichte ihm die Hand, begleitet mit einem ansehnlichen Geschenke. Lange besprach er sich mit ihm; aber eine Gesell=

schaft, die längst schon seiner harrte, be=
wog ihn, diesen alten Mann zu verlassen.
Als er aber durch einen zufälligen Um=
stand unvermuthet sein ganzes Geld ver=
mißte, röthete ein edler Unwille seine
Wangen; „o! warum gab ich doch die=
sem gutherzigen Alten nicht lieber Alles?
Er hat es ja verdient!" dieß sprach er,
und schwieg. Ein sorgfältigeres Nachsu=
chen aber überzengte ihn, daß er sich we=
gen des vermeintlichen Verlustes geirrt.
Unvermerkt verließ er die Gesellschaft,
willens, den Mann wieder aufzusuchen,
um ihm seine ganze übrige Haabe noch
darzubieten; aber seit einer halben Stun=
de hat er schon die Stadt verlassen.
Was hilft ihm, dachte er, mein guter
Wille? Nur das Vollbringen kann ihn
beglücken! Eilends ritt er ihm selbst nach,
und holte ihn sehr bald ein; denn nur

eine lebende Stütze hatte er, die, andere
mußte ein Stock ersetzen. Matt und entkräftet lag er auf dem grünen Rasen,
und ein wohlthätiger Baum beschattete
ihn. Überrascht hob er sich von seinem
Lager, als ihm der großmüthige Menschenfreund die neue Gabe darreichte!
Lange stand der Alte weigernd da; aber
die längere Weigerung würde Ungerechtigkeit gegen sich selbst und die edle Denk-
art des Grafen gewesen seyn; denn er
bedurfte dieser Hülfe wirklich, durch welche fortgesetzt der dankbare Graf bis an
sein Ende das Menschenherz dieses alten
Mannes lohnt, und so ihm seine bitteren,
alten Tage versüßt.

O edler Graf! Tausend,
tausend Segen über dich! Dankbarkeit ist eine Pflicht, die dir
heilig ist! Wohl dir, der du die

Reime, die die Vorsehung in
unsrer aller Seelen pflanzt,
in deinem Herzen so sorgfältig
zu pflegen dich bemühst. Sie ist
der göttliche Odem des Wohl»
thums, sie veredelt den Men«
schen, macht ihn würdig, Mensch
zu seyn; sie reizt durch ihre ei»
genthümliche Hoheit und Wür»
de zur Nachahmung, sie wird die
Quelle des Edelhandelns anderer,
wenn nicht der Werth der Wohl»
that die Gränzen des Dankes
bestimmt, sondern sie durch den
Edelsinn des Dankenden grän»
zenlos wird.

V.

Wohlthätigkeit eines gemei=
nen, und doch wahrlich nicht
gemeinen Mannes *).

—◉—◉—◉—

Beim Anfang des Winters 1793 stand
eines Morgens zu Prag ein armer
Mann, der gern gearbeitet hätte, und
nichts zu arbeiten fand, traurig, mit ver=

---

*) Diese und die folgende Erzählung sind
aus Herrn Professors Meißner Apollo
1793 genommen.

48

schränkten Armen, an der Hausthüre seiner kleinen Wohnung, und dachte seinem
strengen, ausgezeichnet strengen Schick-
saale nach. Er war Gatte und Vater
von neun Kindern. Alle waren noch un-
erzogen, alle ohne Brod, ohne Bette,
ohne Kleidung, ohne Aussicht einer bessern Zukunft; sein ältester Sohn, ein
Bursche von 20 Jahren, litt unbeschreiblich an epileptischen Zufällen, und ward
überdies von einem Heishunger gequält,
der doppelt schmerzlich mit seiner hilflo-en
Dürftigkeit abstach; und in allem diesen
Jammer befand sich jener unglückliche
Vater ganz ohne sein Versehen, oder
höchstens durch einen einzigen, etwas
gewagten, und doch so verzeihlichen
Schritt!

Er war nehmlich von Geburt ein,
Prager, hatte die Konditorey erlernt, und

lange in der Fremde, vorzüglich in Schle=
sien, sich aufgehalten. Dort hatte er
geheirathet, und allmählig eine so zahl=
reiche Familie zusammen gebracht. Dort
hatte er auch bei mehrern Herrschaften
in Diensten gestanden, sich immer anstän=
dig fortgeholfen, und von ihnen allen
die besten Zeugnisse aufzuweisen gehabt.
Nur ein unglückliches Ungefähr wollte,
daß er in seiner letzten Kondition seinen
alten, gütigen Herrn, durch den Tod, *)
und zwar gerade zu der Zeit verlohr,
wo man, den öffentlichen Zeitungen nach,
in Prag die glänzendsten Anstalten zur
Huldigung von Leopold II. machte. Da
unser Konditor schon längst einen innern

---

*) Es war ein Graf. Der Sohn und Erbe
desselben verabschiedete die ganze Diener=
schaft des Vaters, weil er eine vierjährige
Reise anzutretten willens war.

Trieb zur Rückkehr in seine Vaterstadt empfunden hatte, und dort bei einer so festlichen Gelegenheit leichter als sonst und irgend wo anzukommen hoffte, so hatte er den unglücklichen Einfall sich wieder mit Weib und Kindern dahin zu verpflan= zen, und führte wirklich ihn aus. Zwar anfangs gelang es ihm ·auch bei der k. k. Konditorey auf dem hiesigen Schloße mit angestellt zu werden. Aber der Hof kehrte in wenig Wochen nach Wien zurück; un= ser armer, halber Fremdling ward ent= laßen; bot wohl an zwanzig Orten seine Dienste an, fand aber überall den Platz schon besezt. Vergebens suchte er wenig= stens eine einstweilige Versorgung, als Hausmeister, Thürsteher oder auf eine an= dre ähnliche Art zu erhalten; jeder ehr= liche Ausweg, den er einzuschlagen sich bemühte, mißlang. Eben seine zahl=

reiche Familie erschwerte alles Unterkom-
men sowohl, als alles Weiterreisen. Nach
und nach setzte er nicht nur sein erübrig-
tes weniges, baares Geld, sondern auch
alle seine andere Habseligkeiten zu. Das
Almosen einiger mitleidigen Seelen fristete
zwar noch das physische Leben der Ver-
armten. Doch kaum hatten die Kinder
noch das nothdürftigste Gewand, um ihre
Blöße zu bedecken. Oft schien die Sonne
schon lange in ihr Zimmer, und sie mußten noch nicht: wo Brod für den nächsten Mittag herzunehmen sey? — Wie
sollte es jetzt erst werden, da der Winter
einzubrechen, und tausend Nothdürftig-
keiten zu fodern begann?

Indem der arme Konditor dies alles
so bei sich überlegen, und freylich wohl
in seiner Miene Gram genug ausdrücken
mochte, blieb unter den Vorübergehenden

4

ein Mann, in einem Mantel eingehüllt,
bei ihm stehen, und fragte: was ihm feh=
le? Es war, das zeigte seine ganze Klei=
dung, nur ein gemeiner Mann, von dem
sich wenig oder gar keine Unterstützung
hoffen ließ; da aber den Unglücklichen
schon dann immer ein guter Theil leichter
ums Herz wird, wenn er nur Jemanden
findet, der Antheil an seinem Kummer
nehmen will, so ließ sich auch unser Kon=
ditor nicht lange bitten, allen oder doch
seinen hauptsächlichsten Gram vor diesem
Fremden auszuschütten. Aufmerksam hör=
te derselbe ihm zu; sprach am Ende ein
paar Worte von Bedaurung, und —
gieng.

„Wenn er dir wenigstens auch nur
ein kleines Almosen gegeben hätte,“ moch=
te wahrscheinlich die Empfindung des be=
kümmerten Vaters bei diesem Weggehen

seyn. Er sah dem Fremden noch einige
Schritte nach, und verfiel gar bald wie=
der in sein voriges düstres Nachdenken;
wenige Minuten, vielleicht auch eine Vier=
telstunde (denn nichts ist trügender, als
die Zeitrechnung der Schwermuth!)
mochte es gedauert haben, als ihn wieder
Jemand bei der Hand faßte. Er blickte
auf, und es war — der vorige Fremde,
der abermals, doch jetzt in einem bloßen
Oberkleid vor ihm stand, „Nehmts hin!
sprach er, und reichte ihm eine Handvoll
kleiner Silbermünze, es sind vier Gulden.
Ich hätte euch vorhin gern schon etwas
und noch mehr gegeben; aber ich hatte
selber nichts. Jetzt hab' ich meinen Man=
tel verkauft. Hier ist das Geld dafür!
Ich sehe, ihr braucht es noch nöthiger,
als ich den Mantel." — Indem der Kon=
ditor ganz erstaunt da stand, indem er

4 (:)

eben feinen Dank ftammeln, und wenigs
ftens nach dem Namen feines Wohlthäs
ters fragen wollte, war diefer fchon weg.
Nie haben ihn feine Augen wieder ges
fehen.

Wenn es edle Handlungen giebt,
die man beim Erzählen dadurch entweiht,
daß man über ihren Werth auch nur ein
Wort weiter fpricht, fo ift diefe gewiß eis
ne davon.

VI.

Edles Betragen einer Sachsen-häuserinn.

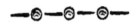

(Aus dem letzten französischen Kriege.)

Unter allen deutschen Städten, die der Einfall der Neufranken zu Ende vorigen Jahres betraf, erwarb sich Frankfurt vorzüglich das Zeugniß eines weislichen, entschlossenen Betragens; ließ sich durch falschen Schimmer nicht blenden; wagte Wahrheit selbst zur Übermacht zu spre-

chen; trotzte nicht zur Unzeit, und gab
eben so wenig allzu haftig nach. Dieses
Zeugniß wird ihm allgemein ertheilt, und
steht bereits in Schriften, die es auf die
Nachwelt bringen werden. Doch sind
hierbei zur Zeit — wenigstens, so viel ich
weiß — noch ein paar Anekdoten über=
gangen worden, die des Aufbehaltens
nicht unwürdig seyn dürften.

Bekanntermaffen theilt diese Reichs=
stadt sich in zwei Theile, in das eigentli=
che Frankfurt und in Sachsenhausen. Die
Einwohner dieses letztern viel kleinern
Theils sind meistens von der ärmern, im
Durchschnitt genommen, etwas ungebil=
deten Klasse. Aber wiewohl die Feinheit
ihrer Sitten in keinem großen Rufe steht,
so zeigen sie doch oft in ihrem Betragen
eine Ehrlichkeit, eine Gradheit, die, trotz
seines rauhen Anstrichs, viel empfehlba=

res bei sich führt. So lange die Neus
franken hier herrschten, waren die Sachs
senhäuser den Grundsätzen, welche jene
einzuführen suchten, nichts weniger als
hold; sie widerstanden ihren Ermahnuns
gen, Anreißungen, ja ihren Geschenken
sogar hartnäckig. Nur nachher, als sie
eben dieselben in Gefahr des Todes ers
blickten; als die einbrechenden Hessen ges
gen diese im Stich gelassene, zum Theil
unbewehrt fliehende Nationaltruppen in
der ersten Hitze — aufs glimpflichste ges
sprochen — nicht allzu glimpflich verfuhs
ren, suchten verschiedene Sachsenhäuser
von den Flüchtigen so viele zu retten,
als sie nur konnten, und gaben, als sie
nachher gerichtlich befragt wurden: was
rum sie sich deren so warm angenommen
hätten? die edle Antwort: „ei was, als
der liebe Gott im Schaffen war, sagte

er nicht: jetzt will ich Deutsche, jetzt Franzken, sondern ein für allemal: jetzt will ich Menschen schaffen."

Am merkwürdigsten zeichnete sich bei dieser Gelegenheit die Frau eines ziemlich dürftigen Bürgers und Gärtners, Peter Theobalds mit Namen, aus. In dieses ihr kleines dicht am Wall gelegnes Häuschen flüchteten sich, als die Hessen zum Affenthor hinein auf den Wall zudrangen, zwei und dreißig Franzosen, National- und Linientruppen, durchs Fenster hinei, und zwar, als weder sie noch ihr Mann, noch sonst jemand zugegen, sondern die beide erstern eben in der Kirche waren. Mit nicht geringer Verwunderung fand sie bei ihrer Heimkunft diese Gäste; als solche aber inständigst sie zu verbergen baten, und ein Offizier, der darunter sich befand, seine goldene Uhr

und seine Börse ihr darreichte, versprach
sie das erstere, und schlug das letztere un-
willig mit der Versicherung aus: daß
sie dergleichen Blutgeld nicht
haben möge. Indeß ward es von
einigen Nachbarn verrathen, daß Neufranken sich in dieses Haus geflüchtet hätten, und ein hessischer Offizier mit einem
Kommando Soldaten kam, und verlang-
te deren Auslieferung. Doch unerschro-
cken trat die Wirthinn nebst ihrem Mann
vor die Hausthüre, und schwur, sich lieber umbringen zu lassen, als jetzt sie her-
zugeben. „Es sind unsre Feinde, sagte
sie, aber kommt erst in einer Stunde wieder, wenn eure Mordlust sich abgekühlt
haben wird, oder versprecht mir gleich
jetzo, ihnen kein Leids zu thun, sondern
als Kriegsgefangene sie zu behandeln, so
sollt ihr sie haben." Die Unerschrocken-

heit dieser Frau gefiel dem heſſiſchen Offizier; er beſtand zwar noch einige Minuten auf unbedingter Auslieferung, doch
da die Frau auf ihrer erſten Rede blieb,
verſprach er ihr Schonung der Gefangenen, und hielt ſie. Er ſelbſt ſowohl, als
auch die Franken, wollten nochmals dieſem rechtſchaffenen Weibe ein anſehnliches
Geſchenk machen; aber ſie ſchlug es wieder aus; ſchickte hingegen ihren Sohn
noch bis zum Thore den Gefangenen nach,
mit dem Auftrage, zu ſehen: ob ihnen
auch wirklich nichts feindſeliges wider-
fahre; und ſie geſtand nachher noch im
Verhör: es habe ſie gefreut, zu hören, daß ſie ganz ungekränkt geblieben
wären.

Nur vergeſſe man nicht, was ich
ſchon vorhin erinnerte, daß ſo Menſchen
handelten und dachten, welche übri-

gens die neufränkischen Grund-
sätze ganz verwarfen.

VII.

Die armen Alten *)
oder
die belohnte Tugend.

Lieblich tönte aus der Ferne der Glocken-
hall von manchem ländlichen Thurme,
eben war das Nachmittagsgeläut des
nahen Dörfchens verhallt, und herzrüh-

---

*) S. Starke's Gemälde. III. 43.

rend begann sich der andächtige Gesang
der versammelten Gemeine zu heben, als
der alte Müller mit nassen Augen am
Fenster seines kleinen Hüttchens stand.
Einsam lag sein unberathnes Haus,
gleichsam verlohren von den Gehöften der
Landsleute vor dem Dorfe, wie ein ein=
zelner dürrer Halm vor dem fruchtbaren
Acker am harten Wege.

Mit herzlichen Kummer, aber ohne
eine Regung vom Neide, hatte der Greis
mit seinem betagten Weibe mehrere wohl=
gekleidete Männer und Frauen aus nach=
barlichen Oertern zur Kirche vorbei wan=
deln gesehen, und sich bei ihrem Anblicke
in demüthigende Erinnerungen an die ge=
wesenen guten Tage vertieft. Müllern
hätte jetzt niemand wieder erkannt, wer
vor zehn Jahren mit ihm umgieng. Da=
mals glühte täglich sein Heerd, dampften

volle Schüſſeln auf ſeinem Tiſche, waren
die Kaſten mit Kleidern gefüllt, damals
reichte er dem bittenden Dürftigen immer
ein großes Stück Brod an der Thür,
und ſeine Gattinn gab der nackenden Ar=
muth manches noch nicht vertragne Hemde.

Wer mag deine Fügungen, wer mag
die Abſichten deiner erziehenden Weisheit
durchſchauen, allliebende Vorſicht? wie
war alles ganz anders geworden! In ei=
nem zerſtörenden Kriege, der allenthalben
durch Brandſchaßungen und Verheerungen
das Land ausſog, hatten die Feinde ſeine
kleinen Güter mit verbraucht, er war tief in
Schulden verſunken, und nach der Wie=
derkehr des Friedens hatte eine Feuers=
brunſt, die bei einem Nachbarn ausbrach,
alle Überbleibſel ſeines Wohlſtandes ver=
zehrt. Ein reicher Mann hatte mit der
Bebauung ſeiner Brandſtätte ſeine Schul=

den übernommen, und ein Freund ihm
einen Stab gegeben, von welchem gestützt
er an der Hand seines Weibes vor sechs
Jahren als ein neuer Siedler in die Hütte wanderte, in welcher man ihn, wie es
manchem Anbauer gieng, mehr erwarten,
als finden ließ. Die armen Alten brachten ausser dem, womit ein paar wohlthä-
tige Menschen ihre Hände gefüllt hatten,
nichts mit unter ihr Strohdach, als ab-
gelebte, erschöpfte Glieder, die wenig zu er-
schwingen vermochten, und edle Gesinnungen, die es ihnen wehrten, in den umlie-
genden Ortschaften als Bettler zu sammeln. Sie wären verhungert, hätten
nicht die Begüterten des Dorfs, ohne daß
sie etwas foderten, sie von Zeit zu Zeit
mit Lebensmitteln versorgt.

Aber gerade jetzt fehlte es ihnen, wie
noch nie, an Allem, darum weinten sie

auch heute herzlicher, als jemals. Als
sie das Läuten zur Sonntagsandacht hör=
ten, als sie einige dazu hingehen sahen,
jammerten sie laut, daß sie nicht in der
Kirche seyn könnten, weil sie keine Kleider
hätten. Das wankende Haupt der Frau
ruhte in den Händen, welche auf die Knie
sich stützten, in der vorgehaltenen Schürze
barg sie ihr Schluchzen, und der Greis
stand-sinnend am düstern Fenster.

Er starrte ein Weilchen ins Feld hin=
aus, dann hob sich sein Blick schmachtend
gen Himmel, dann senkte sein Kopf sich
vorwärts, daß sein silberweißes Haar
in das blasse Gesicht wallte, und auf sei=
nen naß geweinten Wangen sich netzte;
ein langer Seufzer drängte sich aus sei=
ner Brust, und seine bebende Hand blät=
terte in einem geliehenen Gesangbuche
nach einem Liede über die Vorsehung, in

welchem, wie er ſich erinnerte, es hieß,
daß Gott die Vögel unter dem Himmel
ſpeiſe, und die Haare auf unſerm Haupte
zähle, als ein friſcher gutgekleideter jun=
ger Mann auf dem allmählig zu einem
kleinen Hügel anſchwellenden Raſen, vor
ſeinem Hauſe ſich zu einer kurzen Ruhe
niederließ. Der Jüngling öffnete ſeine
Reiſetaſche, zog etwas Zeug, und dann
einige Papiere hervor, fügte jenes dichter
in einander, überſah dieſe, faltete ſie zu=
ſammen, barg ſie wieder, blickte vorwärts,
warf ſeine Taſche auf den Rücken, bog
um den Hügel, und gieng dann auf der
Landſtraſſe fort.

Man weiß, wie Unglückliche, die oh=
ne Kraft ſich zu helfen, ganz ihrem Kum=
mer hingegeben, ſich nur leidend verhal=
ten, jedem neuen Eindrucke folgen, wie
ſie einen Gegenſtand nach dem andern

betrachteten, als könne er ihren Harm
zerstreuen, wie sie, was ihnen vorfällt,
in den Händen herumdrehen, mit der flüch=
tigen Erwartung, ihre Noth darüber zu
vergessen, bald hieher, bald dahin schlei=
chen, als werde ihnen am andern Orte
anders zu Sinne werden, und bald die=
sen, bald jenen sich wählen, als wer=
de der neue Platz ihnen Frieden gewähren.
So gieng es jetzt Müllern. Ein dunkler
Gedanke vom stärkenden Anhauche der
frischen Luft, und ein dunkler Gedanke,
wo ein anderer ruhete, werde er Ruhe fin=
den, trieb ihn zu dem Rasen, Und
siehe, auf der Seite des Rasens, die sich
vom Wege abwärts senkte, schimmerte ihm
etwas Weisses entgegen. Er hebt es auf,
es däucht ihm schwer, er entwickelt das
Papier, und, — wie erstaunt er! — zwei
große Goldstücke blitzen ihm in die Augen.

5

„Mutter, Mutter, rief er haſtig, komm einmal heraus. Mutter, fuhr er fort, als ſie nun vor ihm ſtand, ſchau, was ein Wanderer jeßt eben hier verloh= ren hat. Kennſt du ſo etwas noch?

Die Frau. Guter Himmel! — ſiehſt du Vater, Gott verläßt uns nicht! wenn dir Noth am größten iſt, dann hilft er. Mich hungerte recht, Vater, ich woll= te nur nichts ſagen, und dich gewiß auch, und ſieh nur deinen Rock; das iſt mehr als genug zu einem neuen, und für mich zu einem Mieder, dann können wir in die Kirche gehen. Gott hilft!

Müller. Er hilft, Mutter, ja er hilft, aber nicht durch dieſes Gold. Ich ſage dir ja, es gehört einem Wanderer. Er muß noch dicht dort hinter dem Bu= ſche ſeyn.

Die Frau. O! — der braucht*
vielleicht nicht.

Müller. Freilich wohl; (er besinnt sich) aber Mutter, es gehört ihm.

Die Frau. Er achtet es gewiß nicht,
sonst wäre er vorsichtiger damit gewesen,
weiß nicht, wo er es verlohren hat.

Müller. Mutter, aber Gott weiß
es. Fasse dich, und laß dich durch das
Gold nicht blenden.

Die Frau. Aber Vater! unsre
Noth, — unsre große Noth!

Müller. Ja wohl. — Meinst du?
(besinnt sich wieder) Nein, nein! siehe nur,
wie schön das Getreide stehet, vor uns
des Richters Waitzen, da des Schulzen
Gerste, dort des Pfarrers Rogen, sie kön-
nens wahrlich nicht allein verzehren, sie
werden uns davon bedenken. Und sieh
nur, hier wehet der Wind schon über

5 (2)

Stoppeln, und treibt uns die Wolle von den dürren Diſtelköpfchen ins Geſicht, der Herbſt iſt nahe, und dieſer Herbſt könnte uns wohl mitnehmen von der Welt. Bald geht der Wind über unſer Grab, und ſo dicht am Grabe ſollten wir etwas veruntreuen? Mir wird bange, Mutter, mir wird ſehr bange. Weg, weg mit dem Golde! Iſts mir doch, als wäre ich ſchon todt, und als ſtünde ich vor dem Weltrichter, und er ſagte zu mir: du trugſt deine weiſſen Haare mit Ehren, und um ein paar Goldſtücke haſt du dein graues Haupt geſchändet, ſchäme dich!

Die Frau. Herr Jeſus Chriſtus, wir wollen lieber verhungern. Du haſt Recht, Vater, das iſt das Gewiſ-ſen. Du machſt mir angſt und bange, ich friere und bebe, als hätte ich ſchon geſtohlen; lauf, lauf, daß du des Gol-

des los wirst, was deine alten Füsse kön=
nen, ich will dir deinen Stock bringen;
— Herr Gott, wenn du den Wanderer
nur wieder einholest.

Zitternd eilte die Frau in das Haus,
und zitternd und ungeduldig schritt der
Greis bald vorwärts, bald rückwärts,
und raffte sich ängstlich nach dem Wege
hin. Wohl denen, welche zittern und
streben, um Unrecht zu verhüten! — „Da,
Vater, sagte die Greisinn, und reichte ihm
den Stab, und nun so schnell, als du
kannst! Der Wandrer ist den Weg um
den Busch gegangen, sagtest du, die Land=
strasse krümmt sich da gar sehr, wenn du
hier den Fußsteig durch des Richters Ha=
ber gehst, so kommst du so viel näher,
als er, so mußt du ihn noch am Ende
des Busches treffen; eile, eile! Gott im
Himmel, wenn du ihn nur triffst!"

Sie rief ihm das nach, denn schon
war er auf dem Fußsteige. — Vorwärts
gebeugt strengte sein wankender Leib sich
an, so hastig als jetzt hatten seine Füsse
nicht geschritten, seitdem sein Haus ab=
brannte; sein schneeweißes Haar schwamm
gehoben in der Luft, und der Wind be=
wegte die zerrissenen Stellen seines Ge=
wandes. „Wenn er ihn nur trift," dachte
die Frau, und wandte sich erst nach der
Hütte, und dann wieder nach dem Gat=
ten, und ihr däuchte, er gehe zu langsam,
und sie folgte beklommen ihm nach, und
erreichte ihn, und faßte seinen Arm. „Ich
bin doch noch etwas rüstiger, als du,
sagte sie, ich kann dich stützen, halt dich
nur an mich." Arm in Arm keuchten nun
die Alten geschwinder als zuvor des We=
ges weiter, und wäre jemand Zeuge des
Auftritts gewesen, so hätte er eine Thrä=

ne. aus den Augen wischen, und seine
Hände. falten und denken müssen: Dank
dir Gott, daß du deinem Menschen Kraft
gabst, auf der Höhe sittlicher Würde so
fest zu stehn, daß ihn der Glanz des Gol=
des nicht niederziehen, der Drang des
Hungers ihn nicht herabstoßen kann!

Bald hatten die Gatten den Fußsteig
zurückgelegt, bald standen sie am Ende
des Busches, und sahen mit Freuden, daß
sie dem Jünglinge so weit zuvor gekom=
men waren, daß er sich ihnen erst näher=
te, als sie schon wieder etwas Athem
und etwas Kraft geschöpft hatten.

Mein Herr, sagte der Greis, hier
sind zwey Goldstücke, die Sie dort auf
dem Rasen vor der letzten Hütte des Dorfes
aus Ihrer Reisetasche zogen.

Verwundert sah der Jüngling die
Alten an, und innig und achtungsvoll

ruhten seine Augen auf ihren mitleidwes
ckenden Kleidern. „Ihr scheint arm zu
seyn," begann er nach einigem Nach=
sinnen.

M ü l l e r. Sehr arm, mein Herr.

D i e F r a u. Aber wir möchten
gern ehrlich bleiben, da haben Sie Ihr
Geld.

D e r J ü n g l i n g (bedenkt sich eine
Weile mit allen Zeichen der Unentschlos=
senheit im Gesichte, und nimmt es). Ich
nehme es wieder, weil ichs da, wohin ich
will, gebrauchen könnte. Für heute will
ich euch geben, was ich jetzt erübrigen
kann, und bald komme ich zurück, dann
sollt ihr sehen, daß es Menschen giebt,
welche die redliche Dürftigkeit schätzen.
Hört gute Leute, wo ich die Goldstücke,
derer ihr vielmal werth seyd, nöthig ha=
ben möchte. Zwölf Jahre sind es nun,

daß ich meine Aeltern als ein junger Handwerker verließ, und nur ein Jahr weniger ists, daß ich nichts mehr von ih= nen gehört habe.

Müller. Mutter, hörst du? — —

Der Jüngling. Damals ließ ich mich bereden, ein paar Seereisen mit= zumachen. Auf mehrere Briefe habe ich keine Antwort gesehn, vielleicht, weil mei= ne Aeltern sie nicht empfangen hatten. Zuletzt lebte ich einige Jahre in Batavia. Der himmlische Vater hat mich reichlich gesegnet. Vor sechs Wochen bin ich in Hamburg wieder angekommen. Die Toch= ter des Meisters, bei welchem ich ein Jahr arbeitete, war indeß aus einem zarten Kinde eine blühend schöne und recht gute Jungfrau geworden. Der Vater kannte mich, ich habe zu leben, die Tochter ge=

wann mich lieb, und in zwei Monaten wird sie mein Weib. Zum Glücke fehlt mir nun nichts, als daß ich weiß, wie es meinem Vater und meiner Mutter geht.

Die Frau. Vater! — —

Der Jüngling. Auf einen Brief von Hamburg habe ich wieder keine Nachricht erhalten, darum bin ich auf dem Wege, meine liebe Heimath zum letzten-male zu grüßen, und Gott gebe, daß ich meine Eltern noch treffe, und daß sie sich entschließen, mit mir zu ziehen, und mit mir zu theilen, was Gott mir bescheret hat. Auf der Rückreise komme ich wieder hier durch, und. — —

Müller. (der seine Gattin schon mehrmals bedeutend angesehn und ihr zugewinket hat) Mutter, kommts dir denn auch so vor? — — (zu dem Fremden) Und wenn man fragen darf, mein Herr, wie weit ists noch zu Ihrer Heimath?

Der Jüngling. Vier Meilen, hat man mir dort im Dorfe gesagt, sey es noch bis Brockstädt!

Die Alten (mit ausgebreiteten Armen) Ach Brockstädt.

Der Jüngling. Gott, was ist euch? solltet ihr da bekannt seyn? mein Vater heißt Müller.

Die Alten. (von beiden Seiten taumelnd an seinen Hals stürzend) Ach Wilhelm, mein Sohn, mein wiedergefundener Sohn!

Mehr vermochten sie nicht. Der Jüngling sank, wie berauscht von einer Brust an die andre, und auf lange erlag die Rede der Entzückten unter der übermannenden Gewalt ihrer seeligen Gefühle.

Endlich überzeugten den Wandrer mehr die kurzen Antworten auf einige abge=. brochene Fragen, als die durch den Kum= mer gänzlich geänderten Gesichtszüge, und die Töne der durch das Alter geschwäch= ten Stimme, daß er in den Armen seiner Ältern hange. „Mein Vater! meine Mut= ter!" stammelte er, stürzte auf seine Knie, heftete den Blick gegen Himmel, rang die Hände empor, und betete mit zitternden Lippen: „O Gott, wie gut machst du es mit mir, Gott sey gelobt!

Müller. Mutter, falle auf die Knie. Wir sind ja wohl im Paradiese, und sehen da unsern Sohn wieder! Auf Erden hoffte ich solche Seligkeit nicht mehr.

Die Frau. Ich kanns auch gar noch nicht glauben. — Wenn es Wilhelm nicht wär! So groß, so stark und so

schön war Wilhelm nicht; und doch ist
ers.— O mein Wilhelm!—

Der Jüngling. Ich war kaum
achtzehn Jahre alt, als ich euch verließ,
und habe mich in der Fremde sehr geän=
dert. Ach meine Mutter, ach mein Vater!

Müller. Mutter, Wilhelm, dan=
ket, preiset! Mir ist, als wären wir im
Paradiese.

Der Jüngling. Wer fromm und
redlich ist, wie ihr, der ist schon hier im
Paradiese.

VIII.

Die frommen Eheleute.

—☉—☉☉☉—☉—

Für Ältern, die um ihre Kinder trauern.

(Aus dem Talmud von Moses Mendelsohn.)

Rabbi Meir, der große Lehrer, saß
am Sabbath in der Lehrschule, und un-
terwies das Volk. Unterdessen starben
seine beiden Söhne, beide schön vom Wuchs,
und erleuchtet im Gesetz. Seine Haus-
frau nahm sie auf den Söller, legte sie
auf ihr Ehebette, und breitete ein weißes

Gewand über ihre Leichname. Abends
kam Rabbi Meir nach Hause· „Wo sind
meine Söhne, fragte er, daß ich ihnen
den Segen gebe?" — Sie sind in die
Lehrschule gegangen, war ihre Antwort.
— „Ich habe mich umgesehen, erwiederte er, und bin sie nicht gewahr worden.
—— Sie reichte ihm einen Becher; er
lobte den Herrn zum Ausgange des Sab-
baths, trank und fragte abermals: „wo
sind meine Söhne, daß sie auch trinken
vom Wein des Segens?" — Sie werden
nicht weit seyn, sprach sie, und setzte ihm
vor zu essen. Er war guter Dinge, und
als er nach der Mahlzeit gedankt hatte,
sprach sie: Rabbi, erlaube mir eine Frage! — „So sprich nur, meine Liebe!„
antwortete er. — Vor wenig Tagen,
sprach sie, gab mir jemand Kleinodien in
Verwahrung, und jetzt fodert er sie zurück.

Soll ich sie ihm wiedergeben? — „Dieß sollte meine Frau nicht erst fragen, sprach Rabbi Meir. Wolltest du Anstand nehmen, einem jeden das Seine wiederzugeben?" — O nein! versetzte sie, aber auch wiedergeben wollte ich ohne dein Vorwissen nicht. —— Bald darauf führte sie ihn auf den Söller, trat hin, und nahm das Gewand von den Leichnamen. — „Ach meine Söhne! jammerte der Vater; meine Söhne — — und meine Lehrer! Ich habe euch gezeugt, aber ihr habt mir die Augen erleuchtet im Gesetz." — Sie wendete sich hinweg und weinte. Endlich ergriff sie ihn bei der Hand, und sprach: Rabbi, hast du mich nicht gelehrt, man müsse sich nicht weigern, wiederzugeben, was uns zur Verwahrung vertraut ward? Siehe, der Herr hats gegeben, der Herr hats genommen; der Name des Herrn

sey gelobet! — „Der Name des Herrn
sey gelobet!" stimmte Rabbi Meir mit
ein.

IX.

Ein Wort zur Zeit hat Kraft und Nachdruck,

oder

Züge aus dem Leben eines Unglücklichen,

Als ich (sagt ein Freund des Heraus-
gebers der englischen Miszellen in London) letzthin ganz mit meinen Gedanken
beschäftiget, durch eine volkreiche Straße

6

gieng, weckte mich ein annahendes Geräusch aus meinen Träumereien. Ein junger Mensch kam mit aller Macht gelau-
fen, und war just erschöpft, als er
mich erreichte. „O Gott!" rief er, und
fiel nieder, indeß ein Brod, das er unter
seinem Arme hielt, in die Gasse kollerte.
Hundert Stimmen des nachfolgenden Pö-
bels schrien: „Ein Dieb, ein Dieb!" Man
ergriff ihn, und gab ihm sein Vergehen
Schuld. „Schonung! Schonung!" sagte er kaum athmend, der Hunger trieb
mich dazu. —" Das glaube ich nicht,
Schurke, schrie der Bäcker, und hielt
ihn fest beim Kragen. Oder wenns auch
wahr ist, was gehts mich an? Soll ich
mich bestehlen lassen, weil du hungerst?
wer ist hier, der es sah, daß er mir das
Brod entwandte?" — Drei bis vier aus
dem uns umzingelnden Gesindel meldeten

sich als Augenzeugen. „Unter die Pum=
pe mit ihm,“ schrien einige. „O Erbar=
men,“ rief der unglückliche Mensch mit
jammernder Stimme, und warf seine Au=
gen umher, ob sich nicht ein weiches Herz
unter dem wüthenden Haufen finden möch=
te, unterdeß das Gassenvolk ihn unerbitt=
lich zu der angedrohten Züchtigung fort=
schleppte.

„Laßt ihn gehen! rief ein ältlicher
Herr mit gebietendem Tone, indem er sich
zu dem Schlachtopfer durcharbeitete; und
unterstehe sich keiner, den jungen Men=
schen anzutasten! Er und ihr gehört der
öffentlichen Gerechtigkeit zu! Entweder
vergebt ihm, oder führt ihn vor einen
Stadtrichter. —“ „Herr, erhob der Bä=
cker seine Stimme, so bald ihn seine ge=
mischte Empfindung von Befremden und
Schaam dazu kommen ließen, ich achte

6 (2)

die Gerechtigkeit zu hoch, um einen Ur-
belthäter ungeahndet wegkommen zu
laffen; daher überliefere ich ihn der Po-
lizey." — „Und ich, fagte der ältliche
Herr mit Nachdruck, werde ihn begleiten."
Sein Anstand kündigte einen Mann von
Bedeutung und Entschloffenheit qn. Der
Pöbel folgte nur von fern und schwei-
gend.

Hier war die Anlage zu einem inte-
reffanten Auftritte. Ich gieng mit, ohne
mirs bewußt zu feyn. Ich befand mich
an der linken Seite des jungen Menschen; man nahm mich für feinen zweiten
Vertreter, und fo gelangs es mir dem Ver-
höre mit beizuwohnen.

Ich faßte den Unglücklichen nun
schärfer ins Auge. Sein` abgefallener
Körper war das Bild des Mangels; ein
Zug von Verzweiflung stach aus feiner

Miene hervor; aber ein schwarzer Zug
von Hingebung mischte sich hinein. Kaum
war sein Vergehen erwähnt, so gestand
er es ein. „Und was konnte euch dazu
verleiten?" fragte der Polizeyrichter.
„Hunger," antwortete der Elende mit ei=
ner Wildheit, die alle Zweifel über seine
Wahrhaftigkeit verjagte. „Wo wohnt
ihr? Keine Antwort? Wollt ihr mir nicht
sagen, wo ihr wohnt?" wiederholte der
Richter. Der junge Mensch schwieg.
„Seyd nicht so hartnäckig," fuhr der
Stadtrichter fort, gesteht, was eure Pro=
fession ist, oder womit ihr euer Brod ver=
dient?" Der Arme warf einen Blick auf
den Bäcker, aber antwortete noch immer
nicht. Nun wandte sich der ältliche Herr
leutselig an ihn, und ermahnte ihn so
eindringlich zum Gehorsam, daß der junge
Mensch endlich redete.

„Ich weiß nicht, hub er tiefseufzend
an, wo ich beginnen soll? — Ich bin ein
sehr unglücklicher Mensch — schon von
Kindesbeinen an kannte ich nichts als
Elend und Schaam — wer mein Vater
war, weiß ich nicht; meine Mutter lebte
in einem öffentlichen Bordell vom schänd-
lichen Lohne. — Doch suchte sie mir das
zu verbergen, und redete mit mir immer
von Gott und unsern Heiland, sie lehrte
mich beten, und weinte immer, wenn sie
betete; ich lernte lesen von ihr, und in
meinem Buchstabirbuche standen gute
Sprüche von Gott, vom rechtschaffenen
Lebenswandel und von der Ewigkeit.
Meine kindische Neugier wurde oft er-
regt, wenn ich sie und ihre Bekannten
von ihren Vätern reden hörte, und fragte
sie daher wiederholt: ob ich denn keinen
Vater gehabt hätte? Sie antwortete mir

aber niemals mehr, als: nein! mein Kind, und ihre Thränen floſſen reichlich bei dieſen Worten."

„So vergieng die Zeit, bis ich dreizehn Jahr alt war, wo ich meine Mutter verlor. Sie hatte eine Freundinn in einem Fieber gewartet, welches anſteckend war, und ihr den Tod zuwege brachte. Ein paar Minuten vor ihrem Hinſcheiden rufte ſie mich ans Bette, und erklärte mir das Geheimniß meiner Geburt. Dieſe Erzählung wurde ihr ſehr ſchwer, und erſchütterte ihre Nerven ſo gewaltig, daß ſie gleich darauf den Geiſt aufgab."

Von nun an erfuhr ich verſchiedene Beßandlungen; ich mußte mich den ganzen Tag über plagen, und wurde von der Frau, bei der ich mich aufhielt, zu den niedrigſten Dienſten gebraucht. Alles das würde ich ertragen haben; denn aus Man-

gel an Aussichten hatte ich keinen Stolz.
Aber die muthwillige Barbarei, der ich
mich preis gegeben sah, machte meine La=
ge zu drückend. Etliche junge Leute, die
sich von Raub und Betrügereien nährten,
ersahen mich als einen würdigen Genossen;
ich stürzte mich in ihre Arme, und nahm
an ihren Verbrechen Theil. Jedoch fand
ich in kurzem, daß die Lasterhaften sich
an kein Versprechen binden. Ihr tägli=
ches Gezänk unter einander verleidete mir
ihre Gesellschaft."

"Von meiner Mutter Lebzeiten her
waren Bücher immer noch eine Lieblings=
unterhaltung für mich, der ich alle Zwi=
schenstunden widmete. Das was ich in
Schriften bewundern mußte, war him=
melweit von dem unterschieden, was meine
Gesellschafter trieben, die ich deswegen
hassen und verachten lernte. Ich lauschte

daher auf Gelegenheiten, und machte hun=
dert Entwürfe, von ihnen loszukommen.
Mehrmals entschloß ich mich den Schuß
eines tugendhaften Mannes zu suchen,
allein ein Mißtrauen in mein Glück band
mich."

„Zuletzt gelang mirs, einem Herrn
empfohlen zu werden, der mich in seinen
Dienst nahm. Ich besann mich nicht vor
Freude. Meine Aufführung war gut,
und gewann meines Herrn Liebe, bis er
mit elnem jungen Menschen bekannt wur=
de, der ehemals sehr ausschweifend gelebt
und mich gekannt hatte. Dieser brachte
es dahin bei meinem Herrn, ich weiß nicht
warum? daß er mich ohne eine Ursache
anzugeben, abdankte. Dieser Verfolger
gieng so weit in seinem Hasse gegen mich,
daß er meinen Ruf bei allen Bekannten
meines Herrn, unter denen mich vielleicht

einer angenommen haben würde, an=
schwärzte. Jeder kehrte mir den Rücken
mit Abscheu zu: man wollte mich gar
nicht sehen. Meine vorigen Genossen im
Laster verachteten mich nicht minder, weil
ich während meiner Bedientenschaft mit
ihnen gebrochen hatte. Da nun jeder wi=
der mich war; so mußte ich auch wider
jeden seyn. Kurz darauf wurde ich krank,
und dem Grabe nahe gebracht. Als ich
mich ein wenig erholte, wollte ich Soldat
werden. Aber der Werboffizier wies mich
ab, weil ich zu entkräftet wäre. Nun
ergriff mich die Verzweiflung. Ich lag
zwei Tage und zwey Nächte in einer
elenden Wohnung, ohne Nahrung über
meine Lippen zu bringen. Ich wünschte
mir den Tod. Aber die Natur war mäch=
tiger als der Wunsch., Unerträglicher
Hunger trieb mich auf die Strasse. Ich

konnte zu niemand flüchten, und mit Bet=
teln fürchtete ich wegen meiner Jugend
nichts zu gewinnen. Ich kam bei dem La=
den dieſes Bäckers vorüber, und ein Brod,
das dort lag, verſuchte mich ſo heftig.—"

„Genug, mein Sohn, ſagte der er=
weichte Friedensrichter, ich glaube euch
alles. Euer Weſen und eure Umſtänd=
lichkeit zeugen für euch, Ihr müßt erſt
eſſen, ehe ihr fortfahrt zu erzählen."—
Er ließ ſogleich eine Flaſche Wein und
etwas kalte Küche bringen, die der arme
Menſch in etlichen Minuten gierig ver=
ſchlang. Während der Zeit wurde der
Bäker befragt: ob er auf den Arreſt
beharre? Er verzieh aber vom Herzen.

„Meine Mutter, nahm der Unglück=
liche dann erfriſcht das Wort, war eines
Landmanns Tochter in der Grafſchaft
Nottingham, und lebte bis ins achtzehnte

Jahr in Friede und Unschuld. Um diese
Zeit kam ein junger Mensch ins Dorf,
der seiner Gesundheit wegen sich einige
Zeit auf dem Lande verweilen wollte.
Er sah meine Mutter, sie gefiel ihm, und
er suchte sich bald darauf in ihrer Ältern
Hause bekannt zu machen, wo man ihn
mit aller Gastfreundschaftlichkeit empfieng.
Er bezahlte diese mit Verführung der
Tochter. Als ihre Mutterschaft nahte,
drang sie in ihn, sein Wort zu halten,
aber er verließ sie, und flüchtete in das
unermeßliche London. Sie durfte nicht
wagen, ihren Fehltritt den Ältern zu er=
öffnen. Was die Großstädter Schwach=
heit nennen, ist dort unverzeihliches Ver=
brechen. Meine Mütter mußte bei Nacht
und Nebel ihre Heimath mit dem Rücken
ansehen. Sie eilte nach London. Ihre
kärgliche Sparsumme war bald in frucht=

loser Auffuchung des Verführers verthan,
besonders da sie stündlich der Niederkunft
entgegen sah. Der Mangel führte bald
die Noth herbei, und da sie eben so schön
als arglos war, fiel sie einer Kupplerinn
in die Hände, in deren Hause ich geboh=
ren wurde.

„Wie hieß seine Mutter?" unterbrach
ihn der Bäcker. —

Sara Miller.

„Großer Gott, du bist mein Sohn!
rief der Bäcker mit erschütterter Stimme
und stürzte ihm an den Hals — „Alles
was ich habe, soll dein seyn." Der Bäcker
verwünschte sich unter Thränen, und ver=
gaß minutenlang die Gegenwart des Frie=
densrichters, der ihn mit einer passenden
Ermahnung entließ.

94

O wenn doch alle deutsche Wol=
lüstlinge und Mädchenverführer diese
Geschichte wohl erwögen, und dabei be=
denken wollten, welch Herzeleid sie viel=
leicht schon angerichtet haben.

X.

Der kleine Wollhändler.

Zu Fermeri, in der Grafschaft Kor=
ke, lebte ein Pächter, welcher ein Vater
von mehrern Söhnen war. Der Dritte,
Namens Nichols, sah, daß seine beiden
ältern Brüder mit der Zeit das Gut des
Vaters in Pacht nehmen würden, und
ihm also nichts übrig bliebe, als sein Un=
terkommen auf irgend eine andere Art
durch sich selbst zu suchen. Dieß machte

ihn allezeit traurig, so oft er an die Zu=
kunft dachte.

Eines Tages wurde in seiner Gegen=
wart davon gesprochen, daß die Con=
navische Wolle vortreflich, und der
Handel mit derselben sehr einträglich sey.
Dieses Gespräch machte auf den kleinen
Nichols tiefen Eindruck: er fühlte in sei=
nem Innern eine Neigung zum Handel,
obgleich die Mittel ihm fehlten. Man
sprach nachher nicht weiter davon, allein
Nichols machte ganz in der Stille sei=
ne wenigen Vorbereitungen dazu, einen
kleinen Wollhandel anzulegen. Diese
Vorbereitungen bestanden nun darinn,
daß er sich einige derbe Kleidungsstücke,
die ihn vor Regen schützen sollten, ein
paar tüchtige Handschuhe, wie man sie
in Evinland trägt, ein kleines tragbares
Wasserfäßchen, und einen mit Eisen be=

ſchlagenen Stock anſchaffte, um ſich zu
wehren, wenn etwa Wölfe ihn anfallen
ſollten. Auſſer dem hatte er aber weder
Geld, noch ſonſt etwas bei ſich, um Wolle
einzukaufen, oder einzutauſchen. So ver=
ließ er heimlich das väterliche Haus.

Er kam in die Grafſchaft Gallwai,
mit der Hoffnung, daß er irgendwo Je=
manden finden würde, der ihn aufnähme,
und lebte eine Zeitlang von lauter wilden
Früchten. Zwar ſah er hier die ſchönſte
Wolle, und ſeine Luſt zum Handel ward
immer ſtärker, allein er ſah auch ein, daß
man etwas anders zu geben haben müſſe,
wenn man einkaufen will. Dieß betrüb=
te ihn ſehr, ſchlug ihn aber doch nicht
nieder.

Während ſeines hieſigen Aufenthalts
hörte er, daß es daſelbſt einen vornehmen
Herrn aus Mammonier gebe, der

7

wegen seiner Herablassung gegen Niede=
re bekannt und allgemein beliebt sey. Ni=
chols faßte Muth, gieng geradeswegs
zu ihm, und ließ sich bei ihm als einen
Mammonier melden, der nach Gall=
wai gekommen sey, um Wolle zu kau=
fen, dem es aber am Gelde fehle. Jener
vornehme Herr, ein Baron von Balti=
more, war zufälligerweise selbst aus der
Grafschaft Korke gebürtig, und also
ein Landsmann von Nichols. Er wun=
derte sich freilich nicht wenig, als er einen
Knaben vor sich sah, der sich als Woll=
händler hatte anmelden lassen; indessen
unterredete er sich mit dem kleinen Man=
ne, und dieser erzählte ihm ganz aufrichtig
sein Vorhaben, und wie er es anzufan=
gen gedächte, wenn er nur erst etwas
Geld in den Händen hätte. Der Baron
erstaunte über den sonderbaren Einfall des

Knaben. Da er aber zugleich aus dem ganzen Gespräche merkte, daß Nichols Verstand habe, und nachdem er sich überzeugt hatte, er sey kein liederlicher junger Mensch, ließ er ihm eine kleine Summe Geld. Freilich hielt er es für gewiß, daß er das Geld als ein Geschenk ansehen, und nicht im geringsten darauf rechnen müsse, je wieder etwas zu erhalten, denn es war zu befürchten, daß Nichols, der mit der Art dieses Handels nicht bekannt war, besonders im Anfange, manchen Betrügereien ausgesetzt seyn würde. Einige Freunde des Barons machten ihn auf diesen Umstand aufmerksam, denen sagte er aber allezeit: „Je nun, so habe ich denn doch das Lehrgeld für ihn bezahlt."

Nichols, der sich jetzt im Besitze einer weit größern Summe sah, als er je

zu erhalten gehofft hatte, lief nun allent=
halben herum, um einzukaufen, und —
entweder hatte er wirklich Verstand ge=
nug, um sich nicht hintergehen zu lassen,
oder die Connavier waren zu ehrlich da=
zu, einen so jungen Menschen zu betrü=
gen, — kurz er kaufte äußerst vortheil=
haft ein, reiste mit seiner Wolle in die=
jenigen Provinzen, wo die Wolle seltner
war, und wo der Handel sehr blühte, wie
in Kings = County, Kildari und
Balaclai, setzte hier seine Wolle ab,
und erwarb einen ansehnlichen Überschuß
am Gelde.

Der Baron war eben auch nach Ba=
laclei gereist, als Nichols dort war.
So bald dieser das erfuhr, machte er,
noch vor seiner Rückreise nach Gallwai,
seine Aufwartung bei dem Baron. „Mein
Herr, sagte er zu ihm, was Sie mir ge=

lehnt haben, hat Früchte getragen, hier
ist meine Schuld, mit dem herzlichsten
Danke zahle ich sie Ihnen zurück. Das,
was ich mir damit bereits erworben habe,
ist schon hinreichend, daß ich mein Gewerbe indessen fortsetzen kann. Gott belohne
Sie für das Mitleiden, welches Sie mit
mir gehabt haben."

Der Baron war von dem glücklichen
Erfolge seiner Wohlthat, und von der
Rechtschaffenheit des jungen Menschen so
gerührt, daß er ihm nun die geliehnte
Summe als ein Geschenk anboth. Aber
Nichols schlug sie aus, mit den Worten:
„Ich habe nun einen Schritt vorwärts
gethan. Behielte ich Ihre Summe, so
würde ich gleichsam rückwärts gehen.
Erlauben Sie also, daß ich das Geschenk
nicht annehme. Nur das bitte ich mir
von Ihnen aus, daß ich überall, wo ich

Sie treffe, zu Ihnen kommen, und von dem Zustande meines Handels und meines Vermögens, der Frucht Ihrer Wohlthat, Ihnen Rechnung ablegen darf."—

Dieß nahm den Baron immer mehr für Nichols ein, und er versprach ihm, daß er Zeitlebens den größten Antheil an seinem Schicksale nehmen werde.

Nichols empfahl sich, und reiste sogleich, immer noch in seinen Holzschuhen und in seiner schlechten Kleidung ab, um wieder Wolle in Connavie einzukaufen. Seine Rückkehr erwarb ihm hier Zutrauen, und die reichsten Pächter und Gutsbesitzer vertrauten ihm ungleich mehr an, als er baar bezahlen konnte. Sein Versprechen, daß er zurückkommen, und dann alles richtig bezahlen werde, war ihnen genug. Er bekam dann eine Menge Wolle zusammen, und da man ihm die besten Sorten gegeben hatte, währte es gar nicht lange, so hatte er in Lanegie, und besonders in Balaclai, wo der Baron noch war, alles abgesetzt. Nichols versäumte nicht, auch dießmahl zu dem Baron zu gehen, ihm Bericht von seinen Geschäften abzustatten, und seinen Dank zu erneuern.

„Du bist dankbar, sagte der Baron, du wirst auch glücklich seyn. Erinnere dich, junger Mann, stets daran, daß ich an deinem Glücke Theil nehme.“ Nichols verließ seinen ersten Gläubiger mit Danksagungen überhäuft.

Als er nach Connavie zurückkam, konnte er nicht nur alle seine Schulden bezahlen, sondern von dem, was er erworben hatte, schon seinen ganzen Einkauf mit baarem Gelde machen. Seine Kassa wuchs dadurch so sehr an, daß er

nichts ausgab, was nicht durchaus nöthig
war. Jetzt hatte er bei den Pächtern
und Gutsbesitzern doppelten Kredit. Das
nächstemahl nahm er einen andern Weg,
und kam nach Waterford, einer großen,
schönen, reichen Stadt, wo er seine Waaren
sogleich absetzte. Auf der Rückreise hörte er,
Baron Baltimore sey in der Hauptstadt von Mommonie; er eilte dahin,
um ihm wieder zu danken. „Ich bin
glücklich, edler Gönner, sagte er zu ihm,
ich habe Geld und Kredit." „Erhalte dir
das letztere durch das erste," dieß war
die Lehre, die ihm sein Gönner mit auf
den Weg gab, und Nichols versprach,
sie zu befolgen.

Er kam in die Grafschaft Gallwai
zurück, und da er alles, was er einkaufte,
gleich baar bezahlte, so erhielt er alles
wohlfeiler. Nun gieng er nach Ultoni,

Karrikfergus und Belfast, wo
er überall alles, wie man sagt, reissend
los wurde. In der letztern Stadt fand
er seinen Wohlthäter wieder, und eilte zu
ihm. „Es will wohl mit deinem Handel
nicht recht fort, Nichols?" fragten ihn
des Barons Diener, da sie ihn immer
noch in seinen Holzschuhen und in seiner
ehemaligen Kleidung sahen. „Ich bin zu=
frieden," antwortete Nichols. Er kam
zum Baron, und erzählte diesem den
glücklichen Fortgang seines Handels.
„Ich freue mich, antwortete dieser, und
wünsche dir Glück — allein, sage mir Ni=
chols, warum kleidest du dich nicht besser?"
— „Ich bin ja hinlänglich bedeckt, ant=
wortete Nichols. Soll ich etwa durch
schöne Kleider die Räuber locken, oder
wenigstens dadurch verursachen, daß die
Wirthe mir mehr abfodern? — Sobald

ich mich besser kleide, muß ich auch besser
essen, trinken und schlafen. In der schlechten Kleidung, die ich hier trage, begnüge ich
mich mit einem Stücke Speck und einem
Maße Kosent, schlafe im Stalle bei meinen
Lastthieren, und sorge dafür, daß es ihnen
an nichts fehle." „Schön, schön; rief der
Baron, in der That, Nichols, du hast
mehr Verstand, als die, welche dich tadeln.
Du wirst noch sehr glücklich werden, besonders wenn du deinen Gewinn durch
Tausch verdoppelst. Sollte dich aber
ein Unglück treffen, so rechne auf meinen
Beistand." Nichols dankte dem Baron
zärtlich, und nachdem er alle seine Wolle
verkauft hatte, reiste er in die Grafschaft
zurück, wo diejenigen voller Ungeduld
seiner harrten, denen er bei seiner letztern
Reise ihre Wolle nicht hatte abkaufen
können.

Nichols hatte sich die Worte seines Wohlthäters: „besonders wenn du deinen Gewinn durch Tausch verdoppelst" recht wohl gemerkt. Diesesmahl gab er also genau Achtung, was man in G a l l w a i für Waaren brauchen könne, und ver= sorgte sich in B e l f a ſ t damit. So kam er denn in jener Stadt mit Waaren aus Belfaſt an, both sie aus, und verkauf= te sie mit ansehnlichem Gewinn, „Wie viel Gutes erzeigt mir nicht der Baron, sagte er hier zu sich selbſt. Ich verdopple mein Geld, werde immer bekannter, aus der ganzen benachbarten Gegend bringt man Wolle, und tauscht Waaren dafür ein, die ich mitgebracht habe, dieß erspart mir wenigstens die Hälfte der Zeit, die ich sonst zum Einkauf brauchte. — Er blieb auch wirklich nur kurze Zeit in G a l l= w a i, schon am sechſten Tage konnte er

wieder mit Wolle nach Balaclai rei=
sen. Da man seine Wolle gut gefunden
hatte, stieg sie hier im Preise, und zugleich
verkaufte er seinen ganzen Vorrath sehr
schnell. Indeß hatte Nichols auf dieser
Reise nicht das Vergnügen, den Baron
zu sehen, der sonst immer in seiner Nähe
gewesen war. Er nahm auch von Ba=
laclai Waaren mit zurück, wie das vo=
rigemahl von Belfast, und wurde sie
in Gallwai zu hohen Preisen los.

Das nächstemahl gieng er mit seiner
Wolle nach Waterford, von hier nach
Korke, der Hauptstadt seines Vaterlandes,
und war seinen Ältern ziemlich nahe, al=
lein er wollte doch jetzt sie noch nicht be=
suchen. Er verkaufte, kaufte dafür ein,
und erkundigte sich nach dem Baron.
Dieser sey, hieß es, in der Stadt
Chester. Nichols war sehr betrübt,

daß er seinen Wohlthäter so lange
nicht gesehen hatte, nahm sichs aber vor,
ihn aufzusuchen. Nachdem er also in
Gallwai, wohin er erst wieder rei=
ste, die in seinem Vaterlande einge=
tauschten Waaren abgesetzt hatte, kaufte
er wieder Wolle ein, reiste über Tip=
perai und Kelkeni nach Warford,
schiffte sich hier mit seiner Wolle ein, und
landete glücklich in Chester. Hier er=
kundigte er sich sogleich nach dem Baron,
nahm sein ganzes baares Geld mit, und
zeigte es ihm. „Mein Freund, sagte die=
ser, aus dir wird noch ein großer Kauf=
mann. Zwar scheint hier in Chester
alles theurer, als in Gallwai und in
Ewinland überhaupt, und du willst
daher keine Rückladung nehmen, weil du
fürchtest, du werdest mehr einbüßen, als
gewinnen. Aber es giebt gleichwohl Din=

ge, die hier gemein und wohlfeil, und in
Evinland selten und daher theurer sind.
Kaufe du Leinwand und Tuch ein." —
Nichols befolgte den Rath, kaufte für die
eine Hälfte seines Geldes schönes feines,
für die andere gewöhnliches Tuch und
Leinwand, und reiste unter Segenswün=
schen für den Baron ab.

Als er nach Evinland kam, verkauf=
te er das schlechtere Tuch an den gemei=
nen Mann, das feinere schaffte er nach
Balacloi und Waterford, wo der
König und die Königinn, die Großen des
Hofs, und andere Begüterte es ihm ab=
kauften. Er verdiente dabei eine so an=
sehnliche Summe, daß er sich endlich im
Stande befand, seine Altern in Fermeri
zu besuchen.

Nichols besaß noch die Weste, in wel=
cher er das väterliche Haus verlassen hat=

ke, und trug noch immer Holzschuhe.
In diesem Aufzuge langte er eines Abends,
während der Mahlzeit, vor der Thüre des
väterlichen Hauses ganz allein an; seinen
Diener, den er seit einiger Zeit angenom=
men hatte, ließ er mit den Lastthieren im
Gasthofe zurück. Er klopfte am Thorwe=
ge an. Einer seiner ältern Brüder kam
auf den Hof, und fragte, wer da wäre?
Nichols gab sich zu erkennen. „Ach! mein
armer Bruder, schrie der ältere. Gleich
kamen die Mutter und die Schwester ge=
laufen. „Ach! mein armes Kind," rief
die Mutter. „O der arme Nichols,"
schrien die Schwestern. Man öffnete den
Thorweg. Nichols umarmte seine Mut=
ter, die bei ihrer Freude ausrief: „der ar=
me Sohn! Seht nur, er hat immer noch
die nämliche Weste an," „Ja, Mutter,
antwortete Nichols, ich habe sie aufgeho=

ben, damit ihr mich gleich wieder kennen
solltet." Die gute frohe Pächterinn führ=
te nun ihren Nichols an der Hand zu ih=
rem Manne, und sagte: „Lieber Mann,
wir haben ihn zu lange nicht gesehen, als
daß wir ihn anfahren sollten."— „Du
bist es, liederlicher Mensch?— rief der
Pächter aus — wie du aussiehst."— —
„Mein Vater, sagte Nichols bescheiden,
höret mich nachher, und erlaubet mir zu=
vor, daß ich meinen Brüdern und Schwe=
stern einige kleine Geschenke überreichen
darf." Bei dem Worte Geschenke ward
der Pächter roth, sah seinen Sohn starr
an, und als dieser ihm einen Beutel mit
hundert, der Mutter einen mit fünfzig,
und jedem Bruder und jeder Schwester
einen mit 25 Goldstücken überreichte, rief
er aus: „O ich unglücklicher Vater! wo=

mit hab' ich den Himmel beleidigt, ach! mein Sohn ist gewiß ein Räuber."

„Mit nichten, erwiederte Nichols, bewahre euch doch Gott vor solchen Gedanken; höret meine Geschichte." Jetzt erzählte Nichols. — „Wie, rief nun der Pächter aus, und sprang auf, also wärest du der kleine Wollhändler, von dem wir so viel haben sprechen hören, der in Gallwai die Wolle einkauft?" — „Ja mein Vater, antwortete Nichols, mein Bedienter, der in der Nähe ist, und die Waaren, die ich bei mir habe, können bezeugen, daß ich Wahrheit sage." — Jetzt brach die ganze Familie in ein Freudengeschrei aus, und man begab sich in das Wirthaus, um alles zu holen, was Nicholsen gehörte, der für seine Ältern und Geschwister Tuch und Leinwand zum Geschenke mitgebracht hatte. Im ganzen

8

Hause herrschte Freude. Acht Tage blieb Nichols in Fetmeri, dann reiste er wieder ab, um seine Geschäfte fortzusetzen.

Zehn ganze Jahre hindurch hatte er seinen Wohlthäter nicht wiedergesehen, als er einmal nach Waterford kam, und hörte, der neue König habe den Baron von Baltimore zu seinem Minister ernannt. Nichols lief in seiner dicken Weste und in seinen Holzschuhen zu seinem Gönner, der ihn auch jetzt sehr wohl aufnahm. „Mein Herr, sagte Nichols zu ihm, das Glück hat mich mehr begünstiget, als ich je gehofft habe, ich bin im Besitz einer halben Million.“ —

„Viel Glück dazu, Nichols, antwortete ihm der Minister. Allein! da du nun so reich bist, solltest du auch dein Vermögen genießen, und dich in allem besser einrichten. Unter der Regierung unsers jetzigen Königs haſt du dich nicht mehr vor Räubern zu fürchten, und kannſt ohne alle Gefahr anſtändiger leben."

Nichols. Das will ich auch thun. Aber vorher bitte ich Sie, mein Gönner, noch um eine Gnade. —

Baltimore. Und die wäre? —

Nichols. Daß ich Ihnen ein Geſchenk machen dürfe, —

Baltimore. (voll Verwunderung) Mir?

Nichols. Ja! Ihnen.

Baltimore. Weißt du auch, was du ſagſt? Kennte ich dich nicht ſo genau, ſo würde ich ſagen: du vergäſſeſt, mit wem du ſprichſt.

Nichols. Ich würde untröſtlich ſeyn, wenn ich das je vergeſſen könnte! — Das ſey fern! — Mein Geſchenk wird Ihnen Freude machen. Das glaube ich

8 (*)

erwarten zu dürfen, vermöge der gnädi=
gen Aufnahme, die ich immer bei Jhnen
gefunden habe.

Baltimore. Nun, ich werde se=
hen, was es seyn wird. —

Der Baron ließ, um seine Achtung
gegen einen solchen Kaufmann zu bewei=
sen, unsern Nichols in seinem Wagen nach
Hause bringen.

„Man hat es so wirklich bequemer,
als wenn man zu Fuße geht, dachte Ni=
chols jetzt bei sich, der Baron hat Recht.
Man kann ja wohl die Annehmlichkeiten
und Bequemlichkeiten des Lebens mit al=
lem Rechte mässig genießen, wenn man
sie vorher durch Arbeiten und Fleiß ver=
dient hat.‘‘

Sobald Nichols nach Hause kam,
traf er die nöthigen Einrichtungen, und
gleich den Tag darauf machte er seinem

Gönner wieder seine Aufwartung, erschien
aber dießmal in einem schönen Staats=
wagen, welcher bewies, daß er ein ver=
mögender Mann sey. Zwar trug er kein
Gold auf seinem Kleide, allein dieses war
vom feinsten Tuche, von angenehmer Far=
be, und in seinem ganzen übrigen Putze
herrschte die größte Reinlichkeit und Ord=
nung. Der Baron freute sich, ihn nun
in so anständiger Kleidung zu sehen. Un=
ter dem Arme trug Nichols ein Kästchen.

„Hier, sagte er zu Baltimore'n, und
zeigte auf das Kästchen, hier ist das Ge=
schenk, daß ich Ihnen zu bringen wage."

„Sehen Sie sich vor, Nichols, ant=
wortete Baltimore, Sie haben verspro=
chen, daß es etwas sey, was mich nicht
werde beleidigen können."

„Das glaube ich auch, sagte dieser,
zog eine zusammengerollte Leinwand her=

vor, und sagte hinzu: „Sie haben eine
Menge trefflicher Gemählde in diesem
Saale, wollten Sie nicht auch diesem
ein Plätzchen darunter gönnen?" —

„Wir wollen sehen," erwiederte Baltimore —

Jetzt rollte Nichols auf. Es war
ein Gemählde, welches ihn in seiner dicken
Weste, mit den weiten Holzschuhen, kurz,
ganz so darstellte, wie er gieng, als er
das erstemal zum Baron kam, und dieser
ihm Geld borgte.

„Guter Gönner," fuhr Nichols fort,
„wenn man dann hier, mitten unter diesen Meisterstücken, das Bild eines armen
Bauerknaben sieht, und nach der Ursache
fragt, warum dieses Gemälde hier hängt,
dann erzählen Sie, ich bitte Sie darum,
dann erzählen Sie Jedem, daß dieß Nichols sey, wie er sein erstes Geld bei Ih

nen borgt, jenes Geld, mit dem er so viel
gewann, daß er heute in seinem eigenen
Wagen fährt, denn sehen Sie, der meini=
ge steht in Ihrem Hofe. Nichols und
sein Glück waren Ihr Werk, und jedes
Gute, dessen er sich je in seinem Leben
freuen wird, ist eine neue Wohlthat, die
er Ihnen zu verdanken hat."

Der Minister, welcher eine schöne
empfindsame Seele besaß, nahm dieses
Gemählde, welches mit einem sehr einfa=
chen und unvergoldeten Nahmen eingefaßt
war, mit Freundlichkeit an. Noch heuti=
ges Tages ist es die größte Zierde seiner
Gemähldesammlung, und so oft man die=
se sieht, vermehrt der Anblick des ländli=
chen Nichols die Ehrfurcht, welche man
gegen den Baron empfindet. Man könn=
te unter dieses Gemählde die Worte setzen:
Baltimore's Edelmuth.

XI.

Edle Züge aus dem Leben des Generals Suwarow.

I.

Das Infanterieregiment, in welchem Suwarow im siebenjährigen Kriege als Unterlieutenant ins Feld gieng, war schon auf preußischen Grund und Boden unweit Gumbinnen in Preußisch = Litthauen ein= quartirt, als ein Unteroffizier von der Kompagnie, bei welcher Suwarow stand, eine Exzeſſe begieng. Der Feldmarſchal, Graf Fermor, hatte die gemeſſenſten Beſehle gegeben, die ſtrengſte Mannszucht in den königlich-preußiſchen Landen zuhalten, und im Übertretungsfalle machte er die Offiziere für die Vergehungen der Soldaten verantwortlich. Das Vergehen des Unteroffiziers war von der Art, daß der Vorſteher des Orts Klage bei dem kommandirenden Generale führte. Die Sache wurde unterſucht, und es fand ſich, daß das Vergehen weniger ſtrafbar ausgefallen wäre, wenn Suwarow die ihm von ſeinem Kapitain vor deſſen Abreiſe gegebene Inſtruktion genauer beobachtet hätte. Indeſſen wurde dem Unteroffizier die Strafe diktirt, die ziemlich derb ſeyn ſollte. Als Suwarow dieſes hörte, gieng er zu ſeinen übrigen Offizieren, und bat ſie, mit ihm zugleich zum

Obristen zu gehen, und diesen mit auf das
dringendste zu bitten, die dem Unteroffizier
zuerkannte Strafe, welche in der Degra-
dation bestand, nicht an demselben, sondern an ihm vollziehen zu lassen, weil er,
und nicht der Unteroffizier der größere
Schuldige wäre, indem er durch die strafbarste Unterlassung der Befehle seines
Kapitäns die erste Ursache des Vergehens,
und folglich der strafbarste sey, und es
hier darauf ankäme, durch ein an ihm
zu machendes auffallendes Exempel andere
Verbrechen in Zukunft zu verhüten. Obgleich alle seine Mitoffiziere von der Neu-
heit und Seltenheit dieses Begehrens tief
gerührt waren, woraus es floß, so riethen
sie ihm doch, von seinem Vorhaben abzu-
stehen, und den Verbrecher seinem harten
Schicksale zu überlassen. Rücksicht auf seinen Stand und Familie zu nehmen, und

sich zu beruhigen. „Nein sagte er, ich be=
folge Euren Rath nicht; ich gehe nun
allein zum Obristen, und hoffe, er werde
billiger und gerechter seyn, als ihr, und
mich, der den Vorfall, der unsre Waffen
entehrt, verhüten konnte, nach den Ge=
setzen bestrafen." Er gieng auch wirklich
zu demselben, und beklagte sich über ihn
selbst, daß er aus Rücksicht seiner Fami=
lie ihn mit der verdienten Strafe ver=
schont hätte. Er bäte ihn jetzt, es nicht
dabei zu lassen, sondern ihn zu bestrafen,
und die Sache des Unteroffiziers zu mil=
dern. Umsonst wiederholte ihm der Obri=
ste alles, was ihm seine Mitoffiziere ge=
sagt hatten, und da alle Vorstellungen
vergeblich waren, so beschied der edle
Mann den Kläger des folgenden Tages
zu sich, und vergütete ihm seinen Scha=
den um die Hälfte mehr, als er selbst

verlangt hatte, beorderte Suwarow und
das ganze Korps der Offiziere des Regi=
ments und den Beklagten zu sich, wo
denn in deren Gegenwart der Kläger sei=
ner Klage förmlich entsagte, und somit
den Unteroffizier von seiner Strafe be=
freite. Suwarow beruhigte sich für den
Augenblick mit der Anordnung dieser Sa=
che, übergab aber den folgenden Tag dem
Obrister eine Bittschrift um Versetzung
zu einem andern Regiment, welches ihm
auch bewilligt wurde.

2.

Im Jahre 1787. ließen die Türken
ihre Feindseligkeiten gegen die Russen durch
die Kubanschen Tartarn anfangen, wel=
che den ersten Oktober mit vielen Schiffen
und Truppen in Taurien bei der Erd=

ſpitze von Ricburn eine Landung wagten,
aber ungeachtet der ſchrecklichen Wuth
und Entſchloſſenheit, womit ſie ſolche un=
ternahmen, geſchlagen wurden; fünfzehn
hundert Todte blieben auf dem Platze,.
und viele Tauſende erſoffen. Dieſer glor=
reiche Sieg wurde einzig und allein durch
den unüberwindlichen Muth des Gene=
rals Suwarow erfochten, der von Wun=
den bedeckt auf dem Schlachtfelde lag,
und noch immer die Seinigen aufmunter=
te, für ihre Monarchin und ihr Vaterland
zu ſiegen oder zu ſterben. Seine treuen
Soldaten bemühten ſich ihm zu helfen,
verbanden ſeine Wunden, und baten ihn
dringend, ſein Leben zu ſchonen. „Kinder,
ſagte der General, laßt mich liegen, eilt
nur, und helft euren Kammeraden den
Sieg erfechten.

3.

In dem Kriege in der Krimm erhielt
Suwarow in einer heftigen Schlacht einen
Schuß in den Leib. Er fiel vom Pferde,
und blieb auf der Erde liegen. Unterdeß
fieng die russische Armee an, zu weichen,
die Kosaken flohen in aller Eile. In diesem Augenblicke erhob sich Suwarow wieder von der Erde, band sein Schnupftuch
und seine Schärpe um den Leib über die
Wunde, so fest er konnte, setzte sich, freilich mit äusserster Mühe wieder zu Pferde, sprengte den fliehenden Kosaken nach,
warf sich, nachdem er sie eingeholt hatte,
von seinem Pferde unter sie auf die Erde,
und rief den Kosaken zu: „Läuft nur,
läuft nur! Euren General wollt ihr also
den Türken preiß geben! Wie? Seyd ihr
denn keine Russen?‟ Die Kosaken, als

fie die Stimme des Generals hörten, hiel=
ten stille, stellten sich in Ordnung, und
ließen sich von ihm in vollem Galopp gegen
den Feind anführen, so daß das Treffen
einen abermaligen Anfang nahm, und die
Türken zurückgetrieben wurden.

XII.

Beiſpiele der Redlichkeit zweier öſterreichiſchen Soldaten.

1.

Die ſchöne Handlung eines Gemeinen von der unter Kommando des Herrn Hauptmanns, Grafen von Leiningen, in Brixen garniſonirenden Diviſion des löbl. Infanterieregiments Bender, verdient um ſo mehr allgemeinen Beifall, da Beiſpiele dieſer Art immer ſeltener werden. *)

---

*) S. patr. Tageblatt den 23. März 1803.

Ein Müller aus der Gegend von
Neustift, der ziemlich berauscht war,
verlohr anfangs Jänner auf der Strasse
zwischen Brixen und Neustift ein Päckchen
mit drei hundert Gulden in Bankozetteln.
Der Soldat fand sie, und der Müller
merkte indessen seinen Verlust. „Ich habe drei hundert Gulden in Bankozetteln
verlohren,‟ brummt der letztere für sich
ununterbrochen in den Bart hinein; und
der erste war so ehrlich, ihm zu sagen:
„Ich bin der Finder.‟ — Aber was soll
der ehrliche Mann thun? — Der Müller
war so berauscht, daß er das Päckchen
wohl noch einmal verlieren könnte. Der
Soldat führt also den berauschten Müller in ein nahe stehendes Haus, und will
hier in dessen Gegenwart dem Hauseigen-
thümer das Päckchen mit den Bankozetteln deponiren; allein der letztere will

9

fich hiezu auf keine Weife verftehen. Man
mußte alfo neue Mittel, den Beraufchten
und das Geld in Sicherheit zu bringen,
fuchen. In diefer Abficht fchleppt der
ehrliche Soldat nicht ohne Mühe den Be-
trunkenen fo lange auf der Straffe mit
fich fort, bis fie von einem Bauernwa-
gen eingeholt wurden,- Zum Glücke war
es der Nachbar des Müllers. Diefem
übergiebt der Soldat den beraufchten
Müller und das Päckchen mit Geld, und
kehrt nun zufrieden nach Haufe, daß er
endlich feiner doppelten Bürde los geworden ift.

Der Name des redlichen uneigen-
nützigen Mannes konnte nur mit Mühe
ausfindig gemacht werden. Er heißt Eu-
gen Bleicher, ift von Sulgau in
Schwaben gebürtig, war ehedem Fähn-
rich bei dem fchwäbifchen Landfturm, und

dienet der Zeit in der Kompagnie des
Herrn Hauptmann von Tirou.

2.

Das in Brünn liegende, und we=
gen seiner Ordentlichkeit allgemein geschätzte
Bataillon des Erzherzogl. Rudolphischen
Regiments hat sich einen neuen Anspruch
auf unsere vorzügliche Achtung erworben.
Ein Grenadier, mit Namen Georg Kuku=
vetz, fand am 8ten Jänner 1803 auf der
Gasse eine Brieftasche mit neun hundert
Gulden. Ehe man den mindesten Ver=
dacht hatte, daß er der Finder davon
wäre, zeigte er den Fund freywillig an.
Man will die schönen Reflexionen, die
sich aus allen Umständen dieser so redli=
chen Handlung den Lesern von sich selbst
aufdrängen, hier nicht vorzeichnen; der

9 (2)

Werth einer so entschiedenen Moralität läßt sich besser fühlen, als beschreiben. Der Herr Obrist, Graf von K h e v e n = h ü l l e r, welcher den größten Ruhm dar= in sucht, daß sein Regiment die allseitige Achtung verdiene, und welcher durch wei= se Mittel diesen rühmlichen Zweck zu er= reichen weiß, machte von der Rechtschaf= senheit des Grenadiers am meisten durch= drungen, diese edle Handlung durch den Regimentsbefehl vom 12ten Jänner be= kannt, und dankte dem braven Grenadier dafür öffentlich.

Möchte doch immer jedes verlohrene Gut solchen ehrlichen Finder aufstoßen!!

XIII.

Die Tugend in der Stroh= hütte. *)

Ein edler junger Mann verlebte einst einen Theil des Frühlings auf dem Land=

---

*) S. Kalophilos, oder der Sammler des Schönen und Guten. IIten Th. S. 22. Dieses Werk enthält neben dem vielen Guten und Schönen zur Unterhaltung und Belehrung, auch viele Beispiele von edlen Handlungen, wohin ich meine schö= ne Leserinnen verweise, und hoffe, daß sie die geringe Auslage nicht gereuen wird. Es ist bei dem Buchhändler Polt in Prag verlegt, und daselbst, wie auch in allen guten Buchhandlungen zu haben.

gute seines Freundes. Auf seinen gewöhn=
lichen Abendspatziergängen genoß er das,
Vergnügen, welches der Mensch mit ei=
nem rein empfindenden Herzen bei dem
Anblick einer schönen von der untergehen=
den Sonne vergoldeten Gegend immer
empfindet. Einst entfernte er sich an ei=
nem prächtigen Mayabende etwas mehr
als gewöhnlich von dem Hause seines
Freundes. Eine reitzende Landschaft zog
ihn so sehr an, daß er, ohne zu wissen
wie weit, immer den blumigten Pfad fort=
wandelte.

Er setzte sich endlich am Abhange ei=
nes Hügels, von dem er das reitzende
Thal mit einem Blicke übersehen konnte.
Im Thomsons Frühling vergaß er sich
ganz, daß erst die Dämmerung des Abends
ihn aus seinen stillen Betrachtungen weck=
te. Jetzt wollte er aufbrechen, allein ein

brennender Durst zwang ihn, in eine ein=
same Strohhütte, die er in der Nähe er=
blickte; zu eilen , und um einen Trunk
Waſſer zu bitten.

Ein rührender Anblick feſſelte hier
beim Eintreten seinen Fuß. Er sah einen
ehrwürdigen Greis auf einem elenden La=
ger; neben dieſem eine junge Bäuerinn,
die mit thränenden Augen und ſchwacher
Stimme ihm einen irdenen Topf darbot,
indem sie sagte:

„Trinkt, lieber Vater, das wird Euch
den Schlaf bringen.'' Diese Szene durch=
drang die Seele des Fremden. Er trat
zurück, um nicht die zärtliche Tochter in
Ausübung ihrer Kindespflicht zu stören:
allein sie hatte ihn schon bemerkt , und
fragte mit einer Verwirrung nach seinem
Begehren, Er bat um einen Trunk fri=
ſchen Waſſers, welchen sie ihm sogleich

darreichte. Als er seinen Durst gelöscht
hatte, nöthigte man ihn zum Sitzen auf
eine Bank, welche die eine Seite des rein=
lichen Stübchens einnahm. Er that es,
und wandte seine Augen wieder zu dem
Kranken. „Ihr habt wohl viele Schmer=
zen, guter Alter," redete er ihn an.

„Nur mein Körper leidet; mein Geist
ist ruhig, und Freude sättiget mein Herz,"
antwortete er mit gesetzter Stimme.

Der Fremde. Die Zärtlichkeit
Euerer Tochter beglückt Euch wohl so
sehr?

Der Greis. O mein Herr, wenn
Charlotte meine Tochter wäre, dann wür=
de ich mich über ihre liebreiche Sorgfalt
nicht wundern, allein —

„Ach Vater, schonet meiner," sagte
Charlotte mit einem tiefen Seufzer.

Der junge Mann wurde durch diese

Reden gerührt, faßte des Alten Hand,
und bat ihn dringend fortfahren, welches
er denn auch mit folgenden oft abgebro=
chenen Worten that.

„Ich war ehmal reich, mein Herr,
und besaß ein hübsches Lehngut im be=
nachbarten Dorfe. Der große Mayer=
hof, den sie auf der rechten Seite des
Feldwegs bemerkt haben werden, war
mein väterliches Erbe. Ein tugendhaftes
Weib beglückte mich zwei Jahre, sie starb,
ohne mir ein Kind zu hinterlassen. Die=
ser Verlust schmerzte mich so sehr, daß
ich auch nach mehreren Jahren nicht wie=
der an eine andere Verehligung denken
konnte. Einst gieng ich nach der Haupt=
stadt, um meinem wackern Gutsherrn den
Erbzins zu bringen, bei dieser Gelegenheit
trieb mich auch die Neugierde in das Fin=
delhaus. Die Natur hat mir ein fühlen=

des Herz gegeben, daher machte der Anblick so vieler unschuldigen kleinen Geschöpfe, die Armuth oder Ausschweifung in diese Mauern gebracht hatte, einen ungewöhnlich tiefen Eindruck auf mich. Ich unterhielt mich mit vielen dieser Kindern aber vor allen zog ein kleines freundliches Mädchen meine Aufmerksamkeit an sich, die ihre Händchen mir entgegenstreckte, und durch ihre Liebkosungen mich gleichsam aufzufodern schien, die Stelle ihres unbekannten Vaters bei ihr zu vertretten. Ich konnte dem mächtigen Zuge, der mich zu diesem holden Geschöpfe hinriß, nicht widerstehen, und äußerte dem Freunde, der mich in das Hospital begleitet hatte, den Wunsch, das Mädchen mitzunehmen, und es wie meine Tochter zu erziehen. Da mein Freund den Verwalter genau kannte, so wurde mir die Erlaubniß bald beivirkt, die Kleine, welche Charlotte hieß, und von einem unbekannten Purschen mit der Summe von hundert Thalern dem Hause übergeben worden war, mitzuneh= men. So mit einer angenehmen Tochter bereichert, kehrte ich nach meinem Hofe zurück, und ließ sie unter meinen Augen erziehen. Dieß ist nun meine Tochter, die mich so zärtlich pflegt, aber das ist es nicht, und Sie wissen nicht, welches Opfer sie mir gebracht hat."

Hier ruhte der Greis ein wenig aus. Charlotte erröthete sanft, und machte sich in der Stube etwas zu thun. Kein schö= ner Zug ihrer Bescheidenheit entgieng dem jungen Fremden, der den edlen Greis um die Forsetzung seiner Rede bat, mit einem theilnehmenden Herzen, dem das Bekannt= werden einer schönen Handlung Wohlthat ist. Nun fuhr der Alte fort.

„Vor ungefähr drei Jahren, Char=
lotte war damals fünfzehn Jahr alt,
nahm der Sohn meines edlen Gutsherrn,
der in einem hohen Alter gestorben war,
Besitz von der Verlassenschaft seines Va=
ters. Der Baron war ein stolzer und
harter Mann, er hatte den schönsten und
größten Theil seines Lebens in dem Stru=
del wilder Leidenschaften verschwärmt,
und wollte nun den Rest auf den Gütern
zubringen. Er war nicht mehr jung, aber
noch unverheurathet, und von einer Ge=
sellschaft umgeben, welche das Brandmal
der Sittenlosigkeit auf der Stirne trug.
In diesem Zirkel konnte er nun freilich
keinen Geschmack an häuslicher Glückselig=
keit finden. Bald wurden ihm Charlot=
tens Reitze bekannt und angerühmt, er
besuchte mich, er fragte nach ihr als mei=
ner Tochter, ich erzählte ihm, daß sie nicht

meine Tochter sey, und berichtete ihm zu=
gleich die Art, wie ich das liebe Mädchen
erhalten habe. Todtenbläffe und Feuer=
röthe wechfelte bei meiner Erzählung auf
feinem Gefichte. Als ich ihren Namen
nannte, rief er: „wie? Charlotte heißt
fie? Himmel, fie ift meine Tochter." Meh=
rere Umstände bestättigten dieß, er zog
eine Dofe hervor, die mit einem Bildniffe
geziert war, dar er mir dachielt. „Gott,
rief ich, das ift Charlotte." „Nein, es
ift ihre Mutter, rief er, fie floh mich, weil
Familienverhältniffe mich hinderten, die
Ehe zu vollziehen; als ich ihren Aufent=
halt endlich erfuhr, rang fie fchon mit
dem Tode. Ich konnte wohl das Kind
vergeffen, aber nie die Mutter. Nun
aber will ich meine Nachläffigkeit wieder
gut machen, und Charlotten zu mir neh=

men — wo ist sie, daß ich sie an mein Herz drücke."

Charlotte erschien, sie duldete seine Umarmung, ohne sie zu erwiedern, er ergriff ihre Hand, und wollte sie sogleich mit sich ins Schloß führen. Charlotte zog sie aber zurück, und sagte: „Nein, mein Herr, Sie sind nicht mein Vater, hier ist er, dieser gute Greis ist mein Vater. Wie könnten Sie Ansprüche auf meine Kindesliebe machen? — Sie gaben mir das Daseyn — und verstießen mich, kann ich Ihnen dafür danken? Dieser edle Mann streckte die Arme nach mir aus, als Sie die Ihrigen zurückzogen. Er lehrte mich den süssen Namen Vater stammeln, den Sie verachteten. Er gab mir eine so gute Erziehung, ihm bin ich daher verpflichtet. Er ist daher mein wahrer Vater, nie werde ich ihn verlassen.

und stets als eine zärtliche dankbare Toch=
ter lieben und verehren." *)

„Bei dieser Szene, fuhr der Greis
fort, blieb ich stumm, nur meine Tochter
redete, nun aber suchte ich Charlotten durch
die Vortheile zu rühren, die ihr der Ba=
ron in seiner glänzenden Lage verschaffen
könnte, sie blieb aber bei ihrem Entschlu=
ße, und zog meinen Mayerhof dem präch=

---

*) Leset dieses, ihr Väter, und glaubet,
daß es nicht genug ist, einem Geschöpfe
nur das Leben gegeben zu haben, um
auf dessen kindliche Liebe Anspruch ma=
chen zu können. Gute Erziehung und
vernünftige Sorgfalt während dessen Un=
behülflichkeit geben erst das vollgiltigste
Recht auf den Ehrennamen eines Va=
ters. Gute Aeltern haben gute Kinder;
denn ein gutes Beispiel wirkt weit mehr,
als die besten Lehren, und die strengsten
Züchtigungen.

tigen Schlosse des Edelmanns vor. Die=
ser verließ uns in größter Wuth, und un=
ter den fürchterlichstn Drohungen seiner
Rache, wenn die Sache ausgebreitet wür=
de. — Wir konnten das nicht verhindern,
denn eine alte Magd hatte einen Theil
der lebhaften Unterredung mit angehört,
und schon den andern Tag sagte man
sich im Dorfe ins Ohr, Charlotte sei die
Tochter des gnädigen Herrn. Wenige
Wochen darauf fieng der boshafte Mann
einen Prozeß mit mir an, der noch dr.i
andere nach sich zog, welche noch nicht
beendigt sind. Schon habe ich alles hin=
gegeben, ja sogar den Mayerhof verlas=
sen, und mich mit Charlotten in diese
Strohhütte flüchten müssen, die ausser
dem Gebiete des Barons liegt.''

„Seit einem halben Jahre hindert
mich die Gicht, die an meinen Gliedern

ngt, die Sache fortzusetzen, und mein
Recht gegen meinen mächtigen Feind zu
suchen, ja ohne der Pflege meiner theuern
Charlotte läge ich schon längst im Grabe.''

Hier schloß der Alte seine Erzählung.
Innigst gerührt verließ der Fremde die
Hütte, nachdem er den edeln Bewohnern
derselben das Versprechen, sie oft zu be=
suchen, gegeben hatte. Des folgenden
Tages sandte er einen Arzt, dessen Ge=
schicklichkeit es bald dahin brachte, daß
der gute Alte das Bette verlassen konnte.
Nun war er auch entschlossen, den Rechts=
handel desselben weiter zu besorgen. Er
verwendete sich mit so vieler Thätigkeit
und Geschicklichkeit, daß er die ehmal so
lange dauernden Prozesse glücklich be=
endigte.

Mit dem freudigsten Herzen brachte
er dem redlichen Greisen diese freudige

10

Nachricht, der nun wieder seinen Mayerhof, und noch eine ansehnliche Entschädi-
gung erhielt. Sein und Charlottens Dank
war gränzenlos, der Fremde aber entdeckte dem Greisen, daß er einen noch
weit grössern Dank sich wünsche, daß
nämlich Charlottens Hand für ihn das
höchste Glück seyn würde, er besaß ein
nicht unansehnliches Vermögen, mit dem
er eine Gattinn anständig erhalten konnte. Der Greis schüttelte des Jünglings
Hand, „nie, sprach er, werde ich mich gegen diese Verbindung sträuben, allein
Charlottens Herz hat hiebei die größte
Stimme, ich muß Sie ganz an das Mädchen verweisen, doch will ich Sie des An-
trags überheben, und selbst mit ihr sprechen,

Mit bangem Herzen erwartete der
Jüngling den kommenden Tag der Ent-
scheidung. Wie er eintrat, lächelte ihm

der Greis sanft entgegen, und Charlottens Wangen umzog hohe Röthe, und
er erfuhr nun aus dem Munde des Alten
das Geständniß, daß sie ihm vom ersten
Anblicke an, geneigt gewesen sey. Sein
Glück wurde bald durch seine Vermählung
vollkommen.

In wenigen Tagen darauf starb der
Gutsbesitzer, er stürzte auf der Jagd,
wurde von dem scheuen Pferde geschleift,
und todt nach seiner Wohnung gebracht,
man fand kein Testament, aber Beweise
genug, daß Charlotte seine Tochter sey,
welche nun von den gerechten Richtern
unverzüglich in ihre Rechte eingesetzt
wurde, wo nun sie und ihr Gatte an der
Seite des ehrwürdigen Alten die seligsten
Tage genoßen.

———————

10 (2)

XIV.

Der edle Offizier,

oder

Szenen aus der Eroberung Pra=
ga's durch die Russen.

Ein Auszug aus dem im Juniusstück
1802 des Brenus erschienenen Aufsatze:
Die Schickfale eines südpreu=
ßischen Offizianten während
des Jesurektionskriegs (in Poh=
len) überschrieben, verdient eine Stelle
in diesem Buche.

„Nach der Eroberung Praga's fuhr
ich von Warschau nebst fünf russischen

Offizieren über die Weichsel dahin. Das
Schauspiel, das sich mir darbot, preßte
mir Thränen aus den Augen; siebzehn
bis achtzehn tausend Menschen beiderlei
Geschlechts, jung und alt, Mütter mit
ihren Säuglingen, lagen in Haufen, die
hoch aufgethürmt waren; zerstreut umher
sah man Leichen von Soldaten, nieder-
gestoßene Pferde, zerbrochene Wägen,
Stangen, getödtete Hunde, Katzen und
Schweine, denn man hatte auch die
friedlichen Hausthiere nicht verschont.
Die Körper der Erschlagenen waren nackt;
hin und wieder zuckte unter den Leichnamen ein Arm oder ein vorgestreckter nack-
ter Fuß. Die ganze Stadt Praga war
im Feuer und Rauch gehüllt; Häuser,
Stallungen, Gartenzäune und Bäume
brannten; unter den Flammen stürzten
krachend die Gebäude zusammen, und die

ganze Szene ward noch fürchterlicher
durch das mancherlei Geschrei, welches
dazwischen schallte. Wie Hügel lagen
blutige Kleidungsstücke, die Beute der
Sieger, aufgethürmt.

Ich bat einige Kosaken, mir den Ort
zu zeigen, wo ich die von den Pohlen
vorher aufbewahrten preußischen Gefan=
genen anträfe. „Dort weiterhin gegen
die Weichsel liegen sie," gaben sie zur
Antwort; „wir kannten sie nicht, und
sie starben im Sturme als brave Solda=
ten." Ich gieng mit meinen Begleitern
und einem Schwarm Kosaken an den
mir angezeigten Ort, und fand daselbst
ungefähr zwei hundert fünfzig preußische
Gefangene niedergehauen; unter ihnen
lagen einige, welche noch laut winselten,
und mir durch ihre Jammertöne das Herz
zerrissen. Ich ließ sogleich die Haufen

auseinander werfen, und zog mit Hilfe
der Kosaken, welche gern diese menschen=
freundliche Hilfe verrichteten, zwei und
dreißig Mann, welche noch Leben verrie=
then, unter dem Haufen der Todten her=
vor. Die Kosaken luden die Unglücklichen
auf ihren Rücken, und schleppten sie, so
gut sie konnten, durch die Ruinen und
über die Feuerplätze an das Ufer der
Weichsel, wo ich sie auf Kähnen in mein
Lazareth abführen ließ. Die Kosaken
belohnte ich für jeden Geretteten mit zwei
pohlnischen Gulden.

Als ich zum zweytenmale über die
Weichsel fuhr, sah ich, daß sich die vori=
gen Haufen von Kleidungsstücken und
andern Sachen ansehnlich vermehrt hat=
ten. Die Russen wollten gern verkaufen,
aber es durfte sich kein Kauflüstiger sehen
lassen. Sechzehn Juden, welche die Ge=

winnſucht dahin getrieben hatte, wurden
ſogleich bei ihrer Ankunft von den Koſa=
ken auf Kriegsart empfangen. Sie er=
griffen dieſelben bei den Haaren, und ſtie=
ßen ſie mit den Köpfen an die Wände,
Mauern, Bäume oder Zäune, daß ſo=
gleich das Mark und Blut herausſpritzte.
Das Geld, das die Juden bei ſich hatten,
vertheilten die Koſaken unter ſich. Mehr=
mals blitzten ihre Augen auf meine Per=
ſon, aber ein preußiſcher Offizierrock vom
Regiment Jungſchwerin, den ich anhatte,
ein ganz neues ruſſiſches Kordon auf mei=
nem Hut, und ein dergleichen Portepee an
meinem Säbel ſchützten mich vor ihrer
Habſucht.

Eine dritte Fahrt nach Praga ver=
ſchaffte mir ein ganz eigenes Vergnügen.
Als ich an das jenſeitige Ufer kam, hat=
te das Feuer ſchon ſo weit um ſich ge=

gegriffen, daß ich mich nicht hinein wagen wollte. Das Tödten dauerte noch. Ein fürchterliches Kindergeschrei zog mich zu einem Hofe, aus welchem es erscholl. Eine Menge Judenkinder hatten sich dahin geflüchtet, und die Kosaken beschäftigten sich zum Zeitvertreibe, sie todt zu schlagen. Ich bat sie, inne zu halten, und mir lieber die Kinder zu verkaufen. Das thaten sie gern; ich bezahlte einen pohlnischen Gulden für jedes Kind, und rettete auf diese Art fünf und dreißig Unschuldige vom Tode. Meine Begleiter riethen mir nicht lange zu säumen, damit der Handel die Verkäufer nicht reuen möge; und wirklich funkelten ihre Augen, indem sie ihre sichelförmigen Säbel schwangen. Ich eilte mit meinen Kindern über die Weichsel nach Warschau, wo mir von einigen Juden, welche sich am Ufer vor-

fanden, mein ausgelegtes Geld wieder
bezahlt wurde."

XV.

Die echte Bruderliebe.

Den 28ten Dezember 1786 des Nachts
brach in Zittau eine Feuersbrunst aus.
Ein junger Mensch von sechzehn Jahren,
Namens Karl Lange, vermißte, als die
Flamme in dem Hause, wo er mit seinen
Ältern wohnte, schon sehr überhand nahm,
und er mit den Seinigen sich glücklich

gerettet hatte, seinen eilfjährigen Bruder, welcher noch in dem obern Stocke zurück» geblieben war. Nur durch die hintere Treppe schien noch ein Weg übrig zu seyn, den vermißten Bruder aufzusuchen, und wo möglich zu retten. In Gesellschaft eines noch ältern Bruders läuft also Karl diese Treppe hinan, glücklich finden sie den Vermißten, rufen ihm zu, sich zu ret» ten, und wollen nun, in der Meinung, daß er ihnen folge, die Treppe wieder hinunterlaufen. Indessen hat die Mut» ter, die zitternd ihre fehlenden drei Söh» ne sucht, sich auch der Treppe genähert, und fragt, als die ältern Söhne kommen, nach dem jüngsten. Jene trösten sie denn damit, daß er hinter ihnen herkomme, aber leider war er den Brüdern nicht sogleich gefolgt, sondern hatte noch eini» ge Bücher retten wollen, und sich darüber

so verspätet, daß die Flamme ihm den
Ausgang versperrte.

Als Karl sieht, daß der jüngste Bru=
der auffen bleibt, so wagt er sich aus
Bruderliebe, noch einmal die Treppe hin=
auf, welche indeß auch Feuer gefaßt hat.
Oben steht bereits alles in Flammen, Bet=
ten, Schränke und Thüren: alles Holz,
werk lodert hell in die Höhe. Der arme
junge Mensch, der noch oben war, hatte
sich, da das Feuer so plötzlich überhand
nahm, in der Angst hinter den Ofen ver=
krochen, wo er aber doch auch endlich in
den Flammen umgekommen seyn würde.
Karl bahnt sich, mitten durch die um ihn
herumschlagenden Flammen, einen Weg
zu seinem Bruder, nimmt ihn auf den
Rücken, eilt die schon lodernde Treppe
hinunter, und rettet ihn auf diese Art noch
von dem schrecklichen Tode des Verbren=

ens. Ob sie aber gleich beide lebendig
zu den Ihrigen kamen, so waren sie doch
von dem Feuer so schrecklich zugerichtet,
daß man an ihrem Aufkommen zweifeln
mußte. Besonders hatte das Feuer das
linke Bein des geretteten jungen Bruders
schon so durchgebrannt, daß man Adern
und Röhren deutlich unterscheiden konnte.
Auch der ältere litt ausserordentlich an
den Folgen seiner Bemühung, seinen Bru=
der zu retten. Da man ihn aber, so oft
er sich nach dem geretteten Bruder erkun=
digte, versicherte, es bessere sich mit dem=
selben, so bewies er sich äußerst standhaft
und ruhig bei den größten Schmerzen,
die ihm sein Zustand verursachte. Wer
ihn leiden sah, bewunderte die Geduld,
mit der er seine Leiden trug, und die
Ruhe, mit der er seinem Ende entgegen
sah, denn es schien, als werde seine Na=

tur unterliegen müssen. Doch siegte sie
endlich, und er kam wieder auf, fand aber
leider! seinen geretteten Bruder nicht mehr
am Leben. Dieser war bald gestorben,
man hatte aber freilich seinem brüderli=
chen Retter diesen Tod verschwiegen, um
nicht dadurch die Leiden desselben zu ver=
mehren, und vielleicht die Genesung ganz
zu verhindern. Jetzt lebt dieser Karl Lan=
ge in London als Kaufmann. Die Merk=
mahle seines brüderlichen Heldenmuths,
die ihm gewiß zur Ehre gereichen, trägt
er noch im Gesichte und auf den Händen,
denn die Spuren des Feuers haben sich
hier unvertilgbar eingedrückt.

Hätte er doch nach seiner Genesung
seinen Bruder noch lebendig gefunden!
und hätte doch auch dieser geheilt werden
können! — das waren unsre Wünsche, als
man uns diese Geschichte erzählte. Doch

bgleich der gute Jüngling seine Absicht
icht erreicht hat, so muß es ihm doch im=
ier der größte Trost seyn, daß er alles that,
m sie zu erreichen. Gewiß würden bei=
e Brüder ihr ganzes Leben sich ausseror=
entlich geliebt haben, wenn der Gerette=
: das Unglück überlebt hätte.

XVI.

Auch unter den Wilden giebt es große Beispiele von kindlicher Liebe.

Cimon und Pera, bleibt eine ewig unvergeßliche Geschichte der kindlichen Liebe des Alterthums, weil eine Tochter ihren Vater, der verdammt war, Hungers zu sterben, im Gefängnisse mit ihren Brüsten säugte. Ob die folgende von der zärtlichen Liebe eines Negersohns in Afrika

gegen seinen Vater, dieser nachstehe, mö»
ge man empfinden? Es ist eine Geschich»
te, worinn Vater und Sohn gleichsam
wetteifern, sich die zärtlichste und höchste
Liebe, deren Menschen fähig sind, zu er»
weisen. *)

Die Neger haben eine außerordent»
liche Zärtlichkeit zu ihren Kindern. Zwar
haben die Väter das Recht, ihre
Kinder zu verkaufen, aber der Fall
ist so äußerst selten, daß man sich ihn hier
kaum denken kann, und ein Vater, wenn
er Schulden halber gedrungen wäre, Geld
aufzubringen, wird erst alle mögliche We»
ge versuchen, ehe er seine Kinder ergreift.
Ein rührendes Beispiel geschahe hier neu»
lich zur Ehre der Menschheit.

11

*) S. Jserts Reise nach Guinea. S. 236,

Ein Agraffi Neger war durch Unglücksfälle in Schulden gerathen, die er nicht bezahlen konnte. Er gieng zu seinem Gläubiger, und zeigte ihm an, daß er zur Bezahlung nichts weiter habe, als seinen eigenen Körper, den er, wenn er wolle, verkaufen könne. Der erhitzte Kreditor gieng alsbald mit ihm zu unserm Fort Königsstein, und verkaufte ihn, wovon er hernach mit mehreren Sklaven in der Halskette nach unserm Hauptfort transportirt wurde. Hier blieb er etwa sechs Wochen, bis das Schiff, womit er nach Ostindien gehen sollte, seine volle Ladung bekommen hatte.

„Während dieser Zeit hatte sein Sohn den edlen, mehr als kindlichen Entschluß gefaßt, seinen Vater aus den Ketten zu erlösen. Die väterliche Zärtlichkeit, die seinem Va-

ter nicht erlauben wollte, ihn, den Sohn,
an seiner Stelle zu verkaufen, hatte die=
sen unnachahmlichen Gedanken in ihm re=
ge gemacht. Er kam deshalb mit einigen
seiner Verwandten, und wollte einen Skla=
ven eintauschen. Dieses geschieht hier
zum öftern, wenn nämlich die Europäer
ihren Vortheil dabei sehen.

Ich befand mich eben damals im
Waarenhause, der Handlung wegen, und
ließ mir den, welchen sie verlangten, und
zugleich den andern, den sie an die Stelle
geben wollten, zeigen. Und da dieser
letztere ein schöner Jüngling war, so war
der Tausch bald gemacht. Man führte
die Kette der Unglücklichen vor. Gott!
wie gerührt mußte selbst der sonst harte
und unempfindliche Menschenhändler bei
der Szene werden, da der Sohn des
Agrassi Negers seinen Vater in den Ket=

ten erkannte! — Er fiel ihm um den Hals,
und weinte Thränen des Danks und der
Freude, daß er so glücklich sei, seinen
Vater erlösen zu können. Man öffnete
die Kette, nahm den Vater heraus, und
fesselte den Sohn hinein. Er war völlig
ruhig, und bat den Vater, sich seinetwe-
gen nicht zu betrübrn. — Und das
war nur ein Neger!! —

Inzwischen ward die Geschichte dem
Gouverneur bekannt gemacht worden.
Dieser, von Menschenliebe durchdrungen,
redete mit dem Vater und seinen Verwandten, ob sie den Werth, den man
für ihn bezahlt hatte, in einer gewissen
Zeit wieder bezahlen wollten. Sie gelobten es. Der Sohn ward wieder aus
den Ketten genommen, und alle reisten
vergnügt nach ihrer Heimath.

Eine Menſchenliebe, bei der doch das Intereſſe nicht zu kurz kommen durfte!!

XVII.

Friedesliebe und Verſöhnlichkeit.

Dieſe Geſchichte hat ſich zu Ziccaro in Corſika bei dem Brunnen der Grafſchaft Fraale zugetragen, welcher ein ewiges Denkmahl derſelben bleiben wird. *)

*) S. des Abbe Gaudin neueſte Reiſe durch Corſika S. 83.

Ein Einwohner aus Ziccaro ruh=
te mit drei seiner Verwandten bei die=
sem Brunnen, als der Mörder eines
seiner Söhne, und der nur ihm
bekannt war, unvermuthet an eben
den Ort kam. Er sprach ihm freund=
schaftlich zu, und nöthigte ihn, Theil an
ihren Erfrischungen zu nehmen. Bei die=
ser Einladung, die jener für einen Fallstrick
hielt, erstarrte ihm vor Schreck das Blut
in allen Adern. Unterdessen mußte er sie
annehmen, weil er kein Mittel sah, zu
entfliehen. Sie aßen beide; aber in ganz
verschiedenen Stimmungen. Der eine war
in der äußersten Bestürzung, und glaubte
das Ende seines Lebens nahe; der ande=
re, der mit einer erhabenen That schwan=
ger gieng, verrieth jene Heiterkeit, welche
nur die Ausübung der Tugend einflößt.
Nach dem Essen beurlaubte der Einwoh=

ner von Ziccaro seine Gesellschaft, und blieb mit seinem Feinde allein. „Dein Leben, redete er ihn an, ist in meiner Gewalt, ich könnte es dir auf der Stelle nehmen, und den Tod meines Sohnes rächen. Du hast mir viel Thränen gekostet, Trauer und Wehklagen in meine Familie gebracht; allein ich will alle diese Leiden vergessen, die ich um deinetwillen duldete; nur versprich mir: auch deine Feinde so gut zu behandeln, wie ich dich behandle, und überzeugt zu seyn, daß Verzeihen weit rühmlicher und süßer ist, als sich rächen."

Mit diesen Worten umarmte er ihn, und verließ seinen Feind, unbeweglich vor Bewunderung und Erstaunen. *) Wie er wieder zu seinen drei

*) Röm. 12, 20. Waren das nicht feurige Kohlen auf dem Haupte des Feindes.

Verwandten kam, sagte er: „der Mensch, der mit uns aß, ist der Mörder meines Sohns; ich habe ihm verziehen, und sein Leben gefristet, das in meinen Händen war. Folgt meinem Beispiel, und thut ihm nie etwas zu Leide, was mir die Freude verbittern könnte, eine schöne That voll- bracht zu haben.

XVIII.

Das merkwürdige Vermächtniß. *)

Ludamidas, ein Korinther, hatte zwei Freunde, den Charixenes, einen Sycioner, und den Aretheus, einen Korinther. Weil er nun arm, seine zwei Freunde aber reich waren, machte er sein Testament folgendermaffen: „Dem Aretheus vermache ich, meine Mutter zu ernähren, und ihr in ihrem Alter beizustehen; dem Cha-

---

*) S. Lucians Togatis.

cixenus, meine Tochter zu verheirathen,
und sie, so gut als es nur immer möglich
ist, auszustatten. In dem Falle aber,
daß einer von beiden mit Tode abgehen
sollte, so setze ich den noch Lebenden an
des Verstorbenen Stelle ein." Diejenigen, welche dieses Testament zu sehen bekamen, spotteten darüber: allein seine
Erben nahmen dasselbe, auf die erhaltene
Nachricht, mit besonderm Vergnügen an.
Ja, als einer von ihnen, Charixenes, fünf
Tage nachher gestorben, und seine Stelle
zum Vortheil des Aretheus erledigt worden war; ernährte dieser die Mutter
sorgfältig, und gab von den fünf Talen-
ten, welche er im Vermögen hatte, $2\frac{1}{2}$ seiner einzigen Tochter mit, die andern $2\frac{1}{2}$
aber der Tochter des Eudamidas, welchen
er auch allen beiden an einem Tage die
Hochzeit ausrichtete.

XIX.

Der ungenannte Wohlthä=
ter. *)

Ein junger Mensch, Namens Robert,
stand am Ufer zu Marseille, und wartete,

---

*) Dieß Faktum ist in der Année litteraire
von 1775. Nro. 17. umständlich und mit
den dazu gehörigen Beilagen angeführt.
Villemain machte damals und im Jahre
1784 Pilbes, ein dramatisches Schau=
spiel daraus, unter dem Titel: „Le
Bienfait annonyme," ein Stück von 3
Aufzügen, das zu Paris in Gegenwart
des Herrn von Secondat, Montesquieu's
Sohne aufgeführt ward.

bis jemand in seinen Nachen treten würs
de. Ein Unbekannter stieg hinein, war
aber im Begriff, sogleich wieder hers
aus, und in einem andern zu gehen, wei
— wie er zu Robert, der sich zeigte
und von jenem nicht für den Herrn des
Schiffes gehalten wurde, sagte — des
Schiffer nicht zum Vorschein käme. „Dieß
Schiff ist mein: wollen Sie zum Haven
hinausfahren? mein Herr!"   „Nein, mein
Herr, es ist nur noch eine Stunde Tag.
— — Ich wollte nur im Haven ein paars
mal auf = und abfahren, um des kühlen
und schönen Abends zu genießen. — —
Er sieht ja nichts weniger als einem
Schiffmann ähnlich, auch hat er die Mund=
art dieser Leute nicht. — — „Es ist wahr,
und im Grunde bin ich auch keiner, ich
treibe dieß Handwerk an Sonn= und Fest=
tägen, nur um mehr Geld zu verdienen."

— Pfui, in seinem Alter schon geizig
seyn! das entstellt seine Jugend, und er=
ließt den Antheil, welchen seine glückliche
Gesichtsbildung im ersten Augenblick ein=
flößt. — „Wenn Sie, leider! wüßten,
warum ich so sehr wünsche, Geld zu ver=
dienen, wenn Sie mich kennten, gewiß
würden Sie meinen Gram dadurch nicht
vergrössern, daß Sie mir eine so niedrige
Denkungsart zutrauen." — Ich habe ihm
vielleicht Unrecht gethan, er hat sich aber
übel ausgedrückt. Wir wollen unsere
Spazierfahrt antreten! da soll er mir sei=
ne Geschichte erzählen. — Wohlan, mein
guter Freund! sag er mir jetzt, was hat
er für Sorgen? Er hat mich vorbereitet,
Theil daran zu nehmen. — „Ich habe
nur eine einzige: meinen Vater in Fes=
seln zu wissen, ohne ihn davon befreien
zu können. Er war Mäkler in dieser

Stadt, legte das, was er selbst ersparte und meine Mutter in dem Handel mit Modewaaren gewonnen hatte, auf ein Schiff an, welches nach Smirna bestimmt war, und machte, um auf die Umsetzung seiner wenigen Waaren ein Aug zu haben, und selbst wählen zu können, die Reise in Person mit. Das Schiff ist von einem Seeräuber weggenommen und nach Tetuan geführt worden, wo mein unglücklicher Vater mit allen, die am Bord waren, jetzt Sklave ist. Sein Ranzion ist auf 2000 kleine Thaler gesetzt. Da er sich aber ganz erschöpft hatte, um sein Unternehmen desto wichtiger zu machen, so sind wir jetzt nichts weniger, als im Stande, diese Summe zusammen zu bringen. Indessen arbeiten meine Mutter und Schwester Tag und Nacht; ich thue desgleichen bei meinem Herrn, der ein Ju-

velier ist, und suche, wie Sie sehen, die
Sonn= und Feiertage zu benützen. Wir
haben uns, bis auf die Dinge der äußer=
en Nothdurft, eingeschränkt. In einem
einzigen kleinen Kämmerchen führt unsere
unglückliche Familie ihre ganze Haushal=
tung. Anfangs glaubte ich, ich würde
die Stelle meines Vaters einnehmen, ihn
befreien, und mich statt seiner in Fesseln
legen lassen können; ich war im Begriff,
dieß Vorhaben ins Werk zu setzen, als
meine Mutter — die, ich weiß nicht wie,
Nachricht davon bekam — mich versicher=
te, daß es eben so unthunlich, als fan=
tastisch wäre, und allen Kapitäns, die nach
der Lewante segeln, verbieten ließ, mich
an Bord zu nehmen." — Erhält er bis=
weilen Nachricht von seinem Vater? weiß
er, wer dessen Herr zu Tetuan ist, und
wie er dort gehalten wird? — „Sein

Herr ist Oberaufseher der königlichen
Gärten; man behandelt ihn ganz mensch‑
lich, und die Arbeiten, die ihm aufgetra‑
gen werden, gehen nicht über seine Kräf‑
te. Aber wir sind nicht bei ihm, ihn trö‑
sten, ihm sein Unglück erleichtern zu kön‑
nen; er ist von uns, einer geliebten Gat‑
tin und drei Kindern, die er immer aufs
zärtlichste liebte, entfernt,"— Und wie
nennt sich sein Vater zu Tetuan?— „Er
hat seinen Namen nicht verändert, er heißt
Robert, wie zu Marseille."— Ha! Ha!
Robert .... beim Oberaufseher der Gär‑
ten.— „Ja, mein Herr!"— Sein Un‑
glück geht mir zu Herzen; aber seinen
Gesinnungen nach, die es verdienen, bin
ich kühn genug, ihm ein besseres Schick‑
sal zu prophezeihen, und wünsche es ihm
vom Grund der Seele.— Ich wollte
mich, indem ich der Abendkühl genieße,

tuch der Einsamkeit überlassen. Nehm
rs mir nicht übel, mein Freund, wenn
ch einen Augenblick still bin.

Bei Anbruch der Nacht erhielt Ro-
ert den Befehl, ans Land zu fahren,
nd, noch ehe er Zeit gehabt hatte,
erauszusteigen, oder das Schiff an-
uschlüssen, machte sich der Unbekannte
eraus, und erlaubte Roberten nicht ein-
nal, ihm für den Beutel, den er zurück-
ieß, zu danken: so eilfertig machte er sich
avon. In diesem Beutel waren 8 Dop-
elte Louisdor und 10 Thaler Silbergeld.
Eine so beträchtliche Freigebigkeit brachte
em jungen Menschen einen sehr hohen
Begriff von der Empfindsamkeit des Un-
ekannten bei; aber vergebens wünschte
r sehnlichst, ihm begegnen und dafür dan-
en zu können. Sechs Wochen nach die-
er Zeit, als diese ehrliche Familie, wel-

12

che, um die nöthige Summe voll zu machen, unaufhörlich fortarbeitete, eben ein
mässiges Mittagmahl, das aus Brod und
dürren Mandeln bestand, einnahm, überraschte sie der alte Robert, sehr sauber
gekleidet, mitten in ihrem Kummer und
Elende. — „Ach meine Frau! ach meine
Kinder! Wie habt ihr mich so geschwind
befreien können, und auf die Art, wie ihr
es gethan habt? Seht nur, wie ihr mich
herausgeputzt habt, und dann die 50
Louisdor noch, die man mir, als ich ein-
schiffte, herzählte, da meine Reise und
Nahrung doch schon voraus bezahlt waren! Wie soll ich für so vielen Eifer, für
so viele Liebe euch genug danken? —
Und diese entsetzliche Beraubung aller
Bequemlichkeiten, der ihr euch mir zu Lieb
unterzogen habet!" —

Vor Erstaunen war es Anfangs

der Mutter unmöglich, zu antworten; sie
schwamm in Thränen, ihre Tochter desgleichen, und eine Umarmung folgte der
andern. Der junge Robert blieb steif
auf seinem Stuhle, immer ohne Bewegung, und fiel dann in Ohnmacht. Die
Thränen, die sie vergoßen, geben endlich
der Mutter die Sprache wieder: sie um-
armt ihren Mann nochmals, sieht ihren
Sohn an, weiset ihm den Vater, und
sagt: das ist dein Befreier! Sechstau-
send Livers waren für deine Ranzion ge-
fodert, wir haben erst etwas über die
Hälfte beisammen, und das meiste davon
hat dein Sohn durch seine Arbeit verdient; seine Liebe zu dir sind wir es schuldig. Dieses verehrungswürdige Kind hat
vermuthlich Freunde gefunden, die, gerührt von seinen Tugenden, ihm beige-
standen haben, und da er gleich im An-

12 (2)

fange deiner Sklaverei heimlich den Vorsatz faßte, deine Stelle einzunehmen; so
haben wir ohne Zweifel ihm unser Glück
zu danken, so hat er ganz gewiß uns
auf diese Art überraschen wollen. Sieh
nur, wie er es fühlt! aber wir müssen
ihm beispringen. Die Mutter eilte auf
ihn zu, die Schwestern desgleichen. Mit
großer Mühe entreißt man ihn seiner
Ohnmacht, er wirft einen schmachtenden
Blick auf seinen Vater, hat aber noch
Kräfte genug, um sprechen zu können.

. Auf seiner Seite wird der Vater auf
einmal still und nachdenkend; scheint bald
darauf ganz bestürzt, redet seinen Sohn
an: Unglücklicher! was hast du gethan?
wie kann ich dir meine Befreiung danken,
ohne mich darüber zu grämen? Wie konnte
meine Befreiung ein Geheimniß für deine
Mutter bleiben, wenn du sie nicht auf Ko-

ſten deiner Tugend erkauft haſt? — In dei=
nem Alter, Sohn eines Verunglückten, eines
Sklaven, verſchafft man ſich nicht leicht auf
ordentlichen Wegen ſo beträchtliche Hilfs=
mittel, als du nöthig hatteſt. Ich ſchau=
dere vor dem Gedanken: ob dich die kind=
liche Liebe vielleicht zu einem Verbrechen
verleitet hat! Beruhige mich, ſei aufrich=
tig! Und wenn du haſt können aufhören,
ein ehrlicher Mann zu ſeyn, ſo laßt uns
alle ſterben! — Geben Sie ſich zufrieden,
mein Vater, antwortete er, ſtund auf und
ließ ſein Entſetzen über einen ſolchen Arg=
wohn blicken. „Umarmen Sie Ihren
Sohn, er iſt dieſes Titels nicht unwür=
dig, auch war er nicht glücklich genug,
Ihnen beweiſen zu können, wie werth er
Ihnen iſt. Sie haben Ihre Freiheit nicht
uns zu danken. Ich kenne unſern Wohl=
thäter. Jener Unbekannte, meine Mut=

ter! der mir seinen Beutel gab, that sehr
viele Fragen an mich. Zeitlebens wer=
de ich ihn aufsuchen, ich werde ihn an=
treffen, er wird mit mir kommen, seiner
Wohlthaten zu genießen, Theil daran
nehmen, und Thränen der Wollust mit
uns weinen." Hier erzählt der Sohn
dem Vater die Anekdote von dem Un=
bekannten, und benimmt ihm seine Furcht.
Robert fand jetzt in der Ruhe, die er
wieder genoß, Freunde und Beistand.
Ein weit glücklicherer Erfolg, als er ihn
erwartet hatte, übertrifft seine Hoffnung,
krönt seine neue Unternehmungen. Nach
zwei Jahren ist er reich; seine Kinder,
die versorgt und glücklich sind, genießen
mit ihm und seiner Frau eine Glückselig=
keit, die nichts würde gestört haben, wenn
es dem Sohne bei seinen ununterbroche=
nen Nachforschungen geglückt hätte, diesen

verborgenen Wohlthäter, den Gegenstand
ihrer Dankbarkeit und ihrer Sehnsucht,
ausfindig zu machen.

Endlich traf er ihn eines Sonntags
Morgens am Hafen an, wo er spazie-
ren ging. — Ach, mein Schutzgott! ist
alles, was er sagen kann; wirft sich zu
seinen Füssen, und fällt ohne Sinne dahin. Der Unbekannte giebt sich alle
Mühe, ihm beizuspringen, mit etwas ge-
branntem Wasser gelingt es ihm, ihn zu
sich zu bringen; er ist eben so begierig,
ihn nach der Ursache, die ihn in diesen
Zustand versetzt hat, zu fragen. — „Ach,
mein Herr, kann sie Ihnen unbekannt
seyn? Haben Sie Roberten und seine
unglückliche Familie, die Sie auf den
Gipfel des Glückes setzten, indem Sie ihr
ihren Vater wieder gaben, vergessen?‟
„Er irrt sich, mein Freund, ich kenne ihn

nicht, und auch er kann mich nicht ken=
nen; ich bin fremd zu Marseille und erst
seit wenigen Tagen hier." — „Das ist
alles möglich, aber erinnern Sie sich nicht,
daß Sie vor 26 Monaten auch hier wa=
ren? denken Sie nicht mehr an jene Spa=
zierfahrt im Haven? an den Antheil, den
Sie an meinem Unglück nahmen; an die
Fragen, die Sie an mich thaten, und die
alle nur solche Umstände betrafen, die
Ihnen die nöthigen Erläuterungen geben
konnten, um mein Wohlthäter werden
zu können? Befreier meines Vaters!
können Sie vergessen, daß Sie der Ret=
ter unserer ganzen Familie sind, die nichts
anders wünscht, als ihre Gegenwart?
Vergessen Sie unsere Wünsche nicht! kom=
men Sie! theilen unsere Freude! Vermi=
schen Sie Ihre Thränen der Rührung
mit unsern Zähren der Dankbarkeit!

Kommen Sie!" — Gemach mein Freund!
ich habs ihm schon einmal gesagt, er irrt
sich. — „Nein, mein Herr, ich irre mich
nicht — Ihre Züge sind zu tief in mein
Herz gegraben, als daß ich Sie verken=
nen könnte; kommen Sie! ich bitte." —
Hier nahm ihn der junge Robert beim
Arm, suchte ihn gewissermaffen mit Ge=
walt fortziehen, und um beide fing nun
das Volk an, sich zu versammeln.

Da sprach der Unbekannte mit einem
ernsthaften und festern Tone: mein Herr,
diese Szene ermüdet mich, ohne sie zu
erleichtern, eine auffallende Ähnlichkeit
verursacht ihren Irrthum; rufen Sie Ih=
re Vernunft zurück, und suchen Sie im
Schoose Ihrer Familie die Ruhe wieder,
die Sie nöthig zu haben scheinen! —
„Welche Grausamkeit! warum wollen
Sie, der Wohlthäter unsrer Familie, durch

ihren Widerstand, durch Ihre Abneigung,
mich zu begleiten, ihr die Glückseligkeit
zu vergällen, die sie nur Ihnen zu dan»
ken hat? Soll ich vergebens zu Ihren
Füssen liegen? Und sollten Sie grausam
genug seyn, den rührenden Tribut von
sich abzulehnen, den wir schon so lange
Ihrem fühlbaren Herzen vorbehalten ha»
ben? Und ihr, meine Mitbürger! ihr al»
le, die ihr von der Verwirrung und Un»
ruhe, in der ich bin, müsset gerührt seyn,
vereinigt euch mit mir, den Urheber mei»
ner Wohlthat zu vermögen, daß er mit
mir gehe, sein eigen Werk zu betrachten!«
Hiebei schwig der Unbekannte; auf ein»
mal nahm er aber alle seine Kräfte zu»
sammen, rief seine Herzhaftigkeit zurück,
um der Versuchung, in die ihn ein so
köstlicher Genuß, den man ihn anbot, hät»
te führen können, zu widerstehen, und ver»

ohr sich im Getümmel, zum größten
Schmerz des jungen Roberts, der mit er-
oschenen und wild umherirrenden Blicken
hm nachsah. So ließ der Unbekannte
dem erstaunten Volke ein Beispiel von
einem Heldenmuthe, wie es dessen noch
keines gesehen hatte.

Stille übermässige Betrübniß, erstickter Unwille, treten an die Stelle der Ge-
müthsunruhe, von welcher der ehrliche
Robert herumgetrieben war. Man sah
sich genöthigt, ihn nach Hause zu tragen,
wo endlich ein heilsamer Thränenguß ihm
einen gefährlichen Zustand entriß.

Der Unbekannte, von dem die Rede
war, würde es noch seyn, wenn nicht
eine Verwalter, die nach dem Tode ihres
Herrn unter seinen Papieren eine Note
von 7500 Livers fanden, den Herrn Mayer
zu Kadiz, an den sie geschickt waren,

aus bloßer Neugierde, denn die Note war durchgestrichen, und das Papier zerdrückt, wie diejenigen, die man zum Feuer bestimmt, darüber zur Rede gezogen hätten. Dieser berühmte englische Banquier antwortete: er hätte die Summe angewandt, einen Sklaven zu Tetuan, Namens Robert, aus Marseille loszukaufen, auf besondern Befehl des Herrn Karl von Sekondat, Baron von Montesquieu, Oberpräsidenten am Parlamente zu Bourdeaux. Bei seiner thätigen, arbeitsamen und forschenden Lebensart reiste der Herr von Montesquieu sehr gern. Er besuchte sehr oft seine Schwester, Madame d'Hericourt, die zu Marseille vermählt war.

Was für große und edle Thaten

nn man von dem gutmüthigen Manne,

er tiefe Kenntnisse der Tugend und wah-

: Glückseligkeit hat, erwarten, wenn die

orsehung ihn mit Gütern und Ansehen

esegnet hat! Welchen weisen, bereitwilli-

en und großmüthigen Gebrauch wird er

on seinem Vermögen, Gutes zu thun,

achen!!! —

XX.

Unglück die sicherste Probe der Freundschaft.

Um die Pracht der Pyramiden, die me
tallene Bildsäule des Memnons, die vor
der Morgensonne erklang, den Nil und
andere Wunder der Natur und Kunst zu
sehen, reiste Demetrius nebst seinem
Freunde Antiphilus, die sich beide den
Wissenschaften gewidmet hatten, aus Grie-
chenland nach Egipten. Kaum waren

ſie daſelbſt angekommen, als Antiphilus
erkrankte. Demetrius ließ ihn in den
Händen eines Arztes und eines Bedienten,
Syrus genannt, und verfolgte ſeine Reiſe
den Nil herauf. Syrus war indeſſen
von ungefähr mit Räubern in Bekannt⸗
ſchaft gerathen, die ihm geſtohlene golde⸗
ne und ſilberne Gefäße aus Anubis Tem⸗
pel, wie auch den goldenen Gott ſelber
in Verwahrung gegeben hatten. Die
Sache ward ruchbar, man warf wegen
des Bedienten Verdacht auf den Herrn,
und Antiphilus ward nebſt dem Syrus
und den Räubern in Verhaft genommen.
Man brachte ſie in ein finſteres unterir⸗
diſches Gefängniß, und legte ſie in Ket⸗
ten. Antiphilus mochte im Verhör den
Richtern von ſeiner Unſchuld ſagen, was
er wollte, er blieb im finſtern Gefängniß
und Ketten, in Geſellſchaft der Räuber,

Er überließ sich hierauf einige Monate lang
dermaßen dem Schmerz, daß er zuletz
keine Speise mehr zu genießen vermochte
daß der Schlaf ihm floh, der ohneden
auf der harten und feuchten Erde nich
sanft seyn konnte, und daß er beinahe
da er kaum genesen war, wieder in ein
tödtliche Krankheit verfallen wäre, al,
eben Demetrius von seiner Reise zurück
kam. Sobald dieser erfahren hatte, wa,
vorging, eilte er zu dem Gefängniß, unt
brachte es durch Bitten und Flehen be
dem Kerkermeister so weit, daß er zu den
Antiphilus von dem Kerkermeister beglei
tet, gelassen wurde. Er erkannte seinet
Freund nicht mehr, so hatte denselben de
Schmerz und das Elend verstellt, und e
mußte ihn mit Namen rufen, um ihn zu
finden. Mit tausend Thränen umarmtet
sich endlich die beiden Getrenen. Demetrius

rach dem Antiphilus Muth ein; und
eil er faß, daß des Antiphilus Kleidung
n Kerker von Feuchtigkeit zerriffen und
anz verdorben war, zerschnitt er gleich
inen Mantel in zwei Stücke, und gab
em Gefangenen die eine Hälfte. Weil er
uf die Reise faft all sein Geld verwandt
atte, fo faßte er den Entschluß, durch
örperliche Arbeit, ob er sie gleich nicht
ewohnt war, seinem Freunde und sich
Interhalt zu verschaffen, und half mit
hwachem Leibe dem Schiffer Laften in
ie Schiffe tragen.

So ernährte er sich und den Antiphi-
us eine ziemliche Zeit, und schaffte ihm
twas Bequemlichkeit und Linderung sei-
es Unglückes. Allein bald darauf starb
iner von den Räubern, und man muth-
naßte, daß er Gift eingenommen hatte.
Dem Demetrius ward also wie einem je-

13

den, der Zugang zu dem Kerker unter
sagt. In diesen traurigen Umständen
die ihm das größte Unglück zu seyn schie
nen, wußte er kein anderes Mittel, zu
seinem Freunde zu kommen, als sich fü
mitschuldig anzugeben. Er that es un
ward zum Antiphilus geführt. Diese
erstaunte, als er den Demetrius unver
muthet in Ketten sah, und zerfloß in Zäh
ren über diese neue Probe seiner große
Freundschaft und seines edlen Gemüthe
Sie weinten beide voll Zärtlichkeit, un
trösteten sich mit der Fürsorge des Him
mels, dem sie vertrauten. — Lange Ze
saßen sie ohne Hoffnung der Befreiung
und waren wund von den Fesseln, ab
gefallen vom Gram, und von der schlech
ten Nahrung, die man ihnen reichte; bi
einer der Räuber Gelegenheit fand, durc
Scheidewasser sich und alle Gefangene

on den Ketten zu befreien und aus dem
Gefängniße zu helfen. Ein jeder der Gefangenen rettete sich mit der Flucht, so
gut er konnte, nur Demetrius und Antiphilus blieben zurück; und sie entdeckten
aber dem Präfektus, was vorgegangen
war. Dieser, der nun von ihrer
Unschuld überzeugt ward, lobte sie sehr,
beschenkte sie, besonders den Demetrius,
so reichlich, daß sie ihr ganzes Leben durch
keinen Mangel zu besorgen hatten, und
ließ sie vergnügt in ihr Vaterland zurückkehren.

N 3 (2)

XXI.

Die auf dem Eise in Sund ge rettete Strandwache.

In dieser Geschichte offenbaren sich aud verschiedene Züge des menschlichen Her zens; zugleich auch deutliche Spuren de göttlichen Vorsehung. Wenn bei Kop penhagen der Sund zugefriert; so wiri eine Strandwache gesetzt, und weger der Desertion, weit hinaus auf dem Eis Posten gestellt. — Bei eingefallenem Tha

ließen einst die entferntesten Posten den am
Strand wachhabenden Offizier bitten, sie
bald ablösen zu lassen. Das Eis fing
schon an zu krachen, und Risse zu bekommen. Dieser konnte das für sich nicht thun,
und ehe aus der Stadt Befehl dazu kamm,
brach das Eis schon mit ungeheuerm Knall.
— Vier Mann und ein Unteroffizier treiben
auf einer Eisscholle nach der See zu, ohne daß ihnen ein Mensch zu Hilfe kommen kann. — In der ersten Noth und
Verzweiflung wollen die Soldaten den
Unteroffizier erschiessen, weil sie ihm Schuld
geben: er habe es nicht ordentlich bestellt
Leute in Todesgefahr kennen keine Gesetze
mehr, und sind schwer zu überzeugen.
Ein alter Soldat nimmt endlich das Wort.
Kammeraden! sagt er, wird uns dadurch
geholfen, wenn wir den Mann tödten?
Wollet ihr wohl vor euerm Tode noch einen

vorſetzlichen Mord begehen? Er hat
Weib und Kind. Der liebe Gott kann
uns retten. Kömmt ihr nun als Gerettete
ans Land, ſo müßt ihr doch als Mörder
ſterben. Thut es nicht. Laßt uns Muth
faſſen. Wer weiß, wie es noch mit uns
kommt. Und ertrinken wir, ſo ertrinkt
er ja mit." Dieß that gewünſchte Wir=
kung, und ſie faßten andere Gedanken.
Inzwiſchen wurde die Gefahr zuſehens
gröſſer. Die Eisſcholle, auf der ſie ſchweb=
ten, ſtieß ſich an andere anfahrende Schol=
len und ward immer kleiner, ſo daß ſie nun
von einer Scholle zur andern ſpringen muß=
ten. Und ſo trieben ſie zwei Tage und zwei
Nächte herum, bis ſie endlich am dritten
Tage des Morgens früh beim Mond=
ſcheine vor einem ſchwediſchen Städtchen
anlandeten. Die Schildwache erblickte
ſie und hörte ihr Geſchrei. Sie machte

... ärm, und sie wurden durch ein Boot glücklich abgeholt. Vor Frost und Hunger starr, ließ sie der Kommendant gut verpflegen, und nachdem sie sich erholt hatten, besuchte er sie, und ließ sich ihr Schicksal erzählen.

„Kammeraden! spricht er, da ihr so wunderbar durch unsere Leute gerettet und in diese Gegend gekommen seid, so frage ich, ob ihr Dienste bei uns nehmen wollt, doch muß es mit euerm guten Willen geschehen.‘‘

Wir danken für alle Wohlthat und Hilfe, erwiederten sie, glauben aber, daß wir dadurch noch mehr Verdienst bekommen, wenn wir wieder zu unserm König zurückkehren.

„Ihr seid brave Leute,‘‘ fuhr der Kommendant fort, beschenkte sie, und ließ sie nach einem dänischen Städtchen brin=

gen, von da sie noch sechs Meilen bis
Koppenhagen hatten. Da sie sich aber
einen Wagen bis Koppenhagen ausbaten,
so waren ihre eigenen Landsleute so un=
diskret, ihnen solchen abzuschlagen, und
zwar auf eine kränkende und beleidigende.
Art. Es wäre nicht Mode, hieß es, die
Soldaten im Lande herumzufahren. Sie
könnten ihren Weg wohl zu Fuße finden.
War das nicht selbst Undank gegen die
Vorsehung, die sie so wunderbar errettet
hatte? Kurz, die armen Leute mußten
den Weg zu Fuße thun. Als sie anka=
men, glaubte man Gespenster zu sehen.
Alle Große ließen sie vor sich kommen,
und sie wurden von der Regierung an=
sehnlich versorgt.

XXII.

Ulrichs von Hutten großmüthiges Betragen gegen seine Familie während seiner Verfolgung.

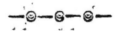

Der erste Blick auf das labyrintische Leben dieses aus den Zeiten der Reformation unvergeßlichen Mannes muß jeden wahren deutschen Patrioten mit Wehmuth üllen. Ulrich von Hutten hat recht eigentlich den Kampf des Lebens gekämpft. Welche Hoffnungen und Aussichten öffne=

te ihm seine Geburt und seine Anlage? und welch ein Opfer hat er der Wahrheit dargebracht? Vermögen, Güter, Verwandschaft, Ehrenstellen, Ruhe, Lebensgenuß — alles hat er der Himmlischen zu Füssen gelegt. Um milde Gaben mußte am Ende der seine Freunde angehen, welcher Fürsten und Königen zur Seite sitzen konnte, wenn er nur schwieg. Von seinen Reisen und Abentheuern in Italien, Deutschland und Frankreich zu seinem Aufenthalt bei Albert von Mainz; von dem dasigen Hofleben zu seinen neuen Ritterzügen mit Franz von Sickingen; von Sickingens Tode auf Dornen und Steinen zu seinem eigenen beweinenswerthen Ende zu Aufnau — welche Abfälle, welche harte Prüfungen, welcher Lohn für so blutige Opfer? Im sechsunddreißigsten Jahre muß dieser Held der Wahrheit dahin; muß flüchten von einem Winkel zum andern. Freunde und Verwandte verlassen ihn, das Mitleid der Fremdlinge reicht ihm kärglichen Unterhalt — nichts bleibt ihm, als sein eiserner Muth und seine Feder.

Während seines Aufenthalts auf Ebernburg berichtigte Hutten seine Familienangelegenheiten auf eine Art, die seinem Karakter wahre Ehre macht. Nach dem Tode seiner Ältern fielen ihm nämlich als dem Erstgebohrnen unter den lebenden Söhnen alle Familiengüter anheim. Lange wußte er nicht einmal, was mit diesen Gütern vorgegangen sey, und da er endlich die Nachricht dann erhielt, trat er sie ganz und unbedingt an seine Brüder ab, ja, er verbot ihnen sogar, ihm Geld oder Briefe zu schicken, damit sie — wie er sagte — als Unschuldige

nicht mit in sein Unglück ver-
wickelt würden. — Wie beschämt
dieser einzige Zug seine Verläumder!

Wer sich mit diesem edlen Verfolgten näher bekannt machen will, den verweise ich an die Schubartsche Biographie,
welche im Jahre 1791 beim Jacobäer in
Leipzig herausgekommen ist.

XXIII.

Menſchenliebe und Dankbar=
keit.

Als im Jahre 1793 der preußiſche Unter=
offizier Lerch in franzöſiſche Gefangen=
ſchaft gerathen war, ward er mit zwan=
ig Gemeinen von verſchiedenen andern
preußiſchen Regimentern unter andern
nach dem Städtchen Nochain an der
Seine transportirt. Man übertrug
hm, als dem einzigen Unteroffizier unter

den zu ihm gesellten Mitgefangenen, das
Kommando über die letzten. Er mußte
gewissermassen für sie haften, und da er
sich auf das Wort seiner Landsleute verlassen konnte, so genoßen die sämmtlichen
Kriegsgefährten viele Freiheit. Einst
giengen sie über die dortige maßive Ka-
nalbrücke, in deren Nähe das stark strö-
mende Wasser unterhalb eine Mühle
treibt. In diesem Augenblicke sah man
etwa 50 Schritte oberhalb der Brücke
eine Französin von der Waschbank ins
Wasser fallen. Da der Strom sie rasch
der Brücke zutrieb, so kamen alle ge-
wöhnliche Anstalten zu ihrer Rettung
zu spät. Ein jeder sah angstvoll in dem
nahen Fluthrade der Mühle den Tod
der Kämpfenden vor Augen. Es war
daher auch nicht ein Augenblick zu verlieren.

„Wer von uns kann schwimmen?"
ief der Unteroffizier Lerch seinen Mit=
efangenen zu. — „Ich" — rief ein bra=
er Gemeiner vom damaligen Infanterie=
egimente Vittinghof (jetzt Mar=
itz), und in demselben Augenblick stürz=
e er auch schon in die Fluthen hinab.
ir schwamm sonst geübt und kraftvoll;
ber der Strom war hier stark, und die
Kleidungsstücke, zu deren Abwerfung er
einen Augenblick zu verlieren hatte, hin=
erten ihn sehr. Mit der äußersten An=
rengung widerstand er der fortreißenden
Gewalt des Wassers, und strebte der auf
in zutreibenden Verunglückten entgegen.
ingstlich fürchtend starrten Aller Augen
ach den Schwimmenden hin, die einan=
er bald so nahe waren, daß er mit den
Jähnen den Rock der schon sinkenden
Französin fassen konnte. War es ihm

bisher schwer gewesen, sich gegen den Strom zu behaupten, so machte ihm die Last, die an seinen Zähnen hieng, die nun fast unmöglich.

Wie gern hätten die Zuschauer, die auf das allgemeine Angstgeschrei schaarenweise herbeistürzten, Hilfe geleistet! abe da war wegen des hohen Ufers kein Nachen, da fehlte es in der Nähe gänzlich an einer Stange, da fand sich nirgends ein Thau zum Hinwerfen nach den Kämpfenden im Strome. Nicht ohne Wahrscheinlichkeit fürchtete daher fast ein jeder der Schwimmende werde die ihm zu schwere Bürde wieder fahren lassen, um wenigstens sich selbst zu retten; aber nein der brave Preuße wollte entweder siegen oder mit der nur halb gerettete zugleich sterben. Glücklich arbeitete er nach und nach dem Strom entgegen, und

rreichte endlich die Waschbank, wo aller
)ände nach ihm ausgestreckt waren; so
ettete er sich und die Verunglückte, in
eren Kleidung er die Zähne gleichsam
erbissen hatte.

Der Unteroffizier Lerch versichert, der
Jolksjubel in diesem entzückenden Augen=
licke sey unbeschreiblich groß gewesen.
ier, sagt er, äusserte er sich durch un=
ändiges lautes Frohlocken; dort durch
ne stille, halbversteckte Freudenthräne,
e in dem Auge des sanfteren Menschen=
eundes glänzte. Hier hob die Tochter
s Geretteten dankbar die gefalteten
ände gen Himmel; dort sammelten
Johlhabende ein Sümmchen, für den
Tenschenretter; hier drängten sich ent=
ickte Franzosen männlicher und weibli=
en Geschlechts von allen Seiten zu dem
reußen hinan, und umarmten den Trie=

14

senden mit unzweideutiger Innigkeit:
dort näherten sich ihm glückwünschend
seine Kriegsgefährten, die ernsteren Deutschen, und drückten und schüttelten ihm
mit Herzlichkeit und Treue die nasse Hand.
Kurz, nirgends sah man ein Gesicht, worin nicht in jeder Miene die menschlichste,
edelste Freude lesbar gewesen wäre.

Indessen hatten sich auch zwei Mu-
nicipalitätsbeamte (obrigkeitliche Perso-
nen) eingefunden; und zur Herstellung
der ohnmächtigen Frau die gehörigen
Maaßregeln getroffen. Dem Preußen,
dem, im frohen Bewußtseyn seiner That,
nichts fehlte, als trockne Kleidung, nahmen sie selbst in die Mitte, und führten
ihn, wie im Triumpfe, davon. Der Zug
der übrigen preußischen Gefangenen,
nebst der frohlockenden Menge, schloß sich
an sie an. Auf dem Marktplatze ver-

weilte man einige Augenblicke; einer von
den Beamten stellte, nachdem er Ruhe
geboten hatte, in einer kurzen Anrede an
das Volk, den edlen Preußen als ein
Muster der vorurtheillosen und aufo-
pfernden Menschenliebe auf, und ermun-
terte die Einwohner der Stadt zur thätigen Dankbarkeit. Man fuhr fort, frei-
willige Geldbeiträge zu sammeln, und
bald bot die Erkenntlichkeit der Franzosen
dem Menschenretter ein Geschenk von
700 Livers dar.

Der edle Preuße schlug anfangs das
Geschenk großmüthig aus. Als der einzige, der schwimmen konnte, meinte er,
habe er nichts, als seine Schuldigkeit,
und diese nur so gethan, wie sie gewiß
jeder seiner deutschen Landsleute an seiner Stelle auch würde erfüllt haben. Indessen war die Versuchung, in welche man

14 (2)

einen in der Gefangenschaft befindlichen armen Soldaten führte, zu hinreissend, als daß er der Überredung dankbarer Franzosen hätte lange widerstehen, und jenes Sümmchen standhaft ausschlagen können.

Man berichtete das ganze Ereigniß nach Paris. Das französische Direktorium hatte Sinn für die Edelthat des Preußen, und ließ demselben die Summe von 700 Livres noch einmal auszahlen.

Ein Soldat, der auch in der Gefangenschaft seinem Vaterlande Ehre macht, ist unstreitig dieses Lohnes und des dankbaren Andenkens seiner Landsleute würdig. (S. Patriotisches Archiv für Deutschland. Herausgegeben von S. Ch. Wagener 1ster Band 1stes Stück, 1799, woraus auch das 2te Beispiel.)

.

XXIV.

Der biedere Dorfschulze und sein Gutsherr.

Um das Jahr 1732 wohnte auf dem adelichen Gute Wilkdorf, ohnweit Schweidnitz, der Ältervater des jetzigen Besitzers desselben. Bei dem damaligen allgemeinen Geldmangel kam er einmal plötzlich in eine unvorgesehene, sehr dringende Verlegenheit, aus welcher er anfangs sich nicht zu retten wußte.

Sorgenvoll sann er hin und her; und wenn er sich gleich nicht von allen Mitteln und Wegen, den Drang der Umstände zu besiegen, entblößt sah, so gefielen sie ihm doch nicht. Unschlüßig mit sich selbst, saß er in dieser Lage einst unter der großen Linde seines Hofes, und unterstützte das sorgenschwere Haupt mit der Hand. Vergebens bemühte er sich, etwas ausfindig zu machen, wodurch er das ihm belästigende Bedürfniß befriedigen könnte.

Von ungefähr erblickt ihn in dieser Lage der Dorfschulze R e i ch e l. Der alte gute Reichel wohnte dem Hofe gegenüber, und war an seinem Herrn v. B. nur eine mit sich und der Welt zufriedene heitere Miene gewohnt. Die gegenwärtige an dem Manne unter der Linde ließ ihn daher etwas außerordentliches ahnden.

Reichel. Aber warum so traurig, gestrenger Herr? dieß sind Sie ja sonst nicht.

v. B. Reichel! unser einer hat auch sein Päckchen zu tragen.

Reichel. Sie haben also Kummer? Das thut mir sehr leid; ein Herr, wie Sie, sollte den nicht haben. Möcht ich ihn lindern können!

v. B. Ich danke Euch, guter Alter! für Eure Theilnahme und Euren guten Willen! und nehme den letzten für die That.

Reichel. Nehmen Sie nicht ungnädig, darf ich Ihren Kummer wissen?

v. B. Ein Geheimniß ist meine Verlegenheit zwar nicht; aber ihr könnt mir nicht helfen. Ich brauche zwei tausend Thaler, und bin zu eigensinnig, sie zu jüdischen Zinsen aufzunehmen.

Reichel. Aber wie, wenn ich nun reicher wäre, als Sie wissen und glauben? Ja, ich schätze mich glücklich, Ihnen dienen zu können. Wann brauchen Sie das Geld?

v. B. (der große Augen macht) Morgen!

Ohne weiter ein Wort zu antworten, eilte der alte Reichel nach Hause. Kaum war eine Stunde vergangen, so trat er, an der Hand ein Päckchen, und mit einer Miene, aus welcher menschenfreundliches Wohlwollen und edler Diensteifer sprach, in die Stube seines gnädigen Herrn. — „Hier sind die zwei tausend Thaler im Golde, sagte er, welche Sie brauchen; in Ihren Händen sind sie mir wenigstens eben so sicher, als in eignet Verwahrung."

Herr v. B. wollte, nachdem er sich

von feinem Erftaunen erholt hatte, dem
iirnftfertigen Dorffchulzen eine Obliga=
iion über das angenommene Darlehn aus=
ertigen; allein diefer weigerte fich ftand=
iaft, eine papierne Verfchreibung der Art
von ihm anzunehmen. — „Sie find ein
vaderer Herr, der weder fpielt noch fonft
iederlich ift, meinte er treuherzig, Ihnen
ft, wie mir, ein Wort ein Mann, und
Ihr Handfchlag ift mir mehr werth, wie
enes Papier. Wenn man überhaupt ei=
iem Heern, wie Sie find, nicht mehr trauen
oll, dann gute Nacht Treu und Glauben.

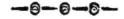

XXV.

Die edlen Liebenden.

(Nach dem Englischen.)

Jakob, der Sohn des David L., eines Kaufmanns zu Swansy, einer Seestadt vom blühenden Handel in Southwales, ward von seinem Vater nach den strengsten Grundsätzen der Ehre und Rechtschaffenheit erzogen. Als er ungefähr zwanzig Jahre alt war, schickte er ihn unter der Aufsicht eines Freundes nach London, mehr in der Absicht, ihm jenes Ansehen und jene Sitten der Bäuerlichkeit ablegen zu lassen, welche allemal in e. em Leben, das immer auf dem Lande zugebracht wird, angenommen werden, als ihm irgend eine Einsicht in die Geschäfte zu verschaffen. Der junge L. ward, trotz allen Vorstellungen, in London wegen seiner Zerstreuung und seines Leichtsinnes berühmt, und verfiel, als ein Mann des Vergnügens, in alle diejenigen Dinge, die nur zu leicht den Saamen der besten Erziehung zerstören. Um ihn, wo möglich, von einem unvermeidlichen Verderben abzuhalten, rief ihn sein Vater zurück, und glücklicherweise hemmte die Liebe bald nach seiner Zurückkunft den Lauf seiner ersten Verirrungen.

Er hatte Miß Winifrid Price gesehen, die aus der nämlichen Stadt gebür-

'tig war, aber einige Jahre bei einer Muhme zu Briſtol zugebracht hatte, auf deren Hauſe ſie ſich in eine Koſtſchule zu ihrer Erziehung begeben hatte. Die neu= gierigen Blicke, die der junge L. auf Miß Price richtete, ließen ihn in der Schönheit das finden, was er noch nicht an ihr wahr= genommen hatte, das heißt, Beſcheiden= heit, Beſtändigkeit und ein gewiſſes edles Anſehen, welches, ohne unſern Begierden die Zärtlichkeit der Zuneigung zu nehmen, ſie mit Ehrfurcht gegen die geliebte Per= ſon, und einem eifrigen Beſtreben, ange= nehm zu werden, erfüllt. Der Vater, welcher auf alle Handlungen des Sohnes aufmerkſam war, merkte eher als er ſelbſt, die Veränderung, welche in ihm vorge= gangen war. Als er der Urſache nach= ſpürte, entdeckte er ſie, und dann dachte, er auf Mittel, ihn mit dem Gegenſtande

vereinigen, der ihn zum Gefühle seines
oralischen Charakters zurückgebracht
tte.

Seine Bekanntschaft mit dem Vater
er Miß Price war nur gering. Er wohn=
auf einem kleinen Gute, das er zwei
Meilen von S w a n s e y hatte, trieb aber
inen Handel wie er, und er wußte, daß
ine Durst nach Gewinn so brennend sey,
aß er die Springfeder aller seiner Hand=
ungen war. Jedoch, da ihre Glücksgü=
r einander ziemlich gleich waren, gab
die Hofnung nicht auf, und suchte zum
esten seines Sohnes einen Handel zu
hließen.

Ein gemeinschaftlicher Freund erleich=
rte die Zusammenkunft der beiden Vä=
er, und es ward ausgemacht, daß dem
ungen L. erlaubt seyn sollte, der Miß
Winifrid zuweilen seine Aufwartung zu

machen. Er war jung, artig, und von einer angenehmen Gestalt, und durch das Verlangen zu gefallen, bel.bt, und Winifrid war sehr von ihm eingenommen. Ihre erste Unterredung war so furchtsam und verlegen, als wenn sie einander schon anvertraut hätten, was in ihren Herzen vorgegangen sey. Das Gegentheil widerfährt denenjenigen, die einander mit Gleichgiltigkeit sehen, sie zeigen mehr Ruhe, und eine größere Herrschaft über ihren Witz bei dem ersten Besuche.

Zusammentreffende Neigungen und Sitten, kurz, eine Art von Sympathie in der Zuneigung, war so leicht an diesen jungen Leuten zu entdecken, daß nichts mehr zu fehlen schien, als daß die verabredete Zeit der Hochzeit von den Vätern bestättigt würde; aber ein Umsturz des Glücks, welcher des jungen L's, Vater

lötzlich widerfuhr; veränderte Pricis güns
ige Gesinnungen, und verbitterte alle
ie Annehmlichkeiten, die sich beide Lieben=
en von ihrer erwünschten Vereinigung
ersprochen hätten.

Herr David L. besaß, nebst einem
aufmanne zu Waterford in Irrland, ein
Schiff, das nach den Leewardischen In=
eln bestimmt, vornehmlich auf seine Ko=
en befrachtet war. Man konnte sagen,
aß sein ganzer Reichthum in dieser La=
ung bestand, und der Ertrag, welcher
on ihm davon erwartet wurde, war be=
rächtlich. Dieses Schiff gieng auf der
Reise zu Grunde, und nur wenige von
en Schiffsleuten wurden gerettet, in=
em sie von einem andern Schiffe, das
nach Hause segelte, aufgefangen wur=
en. Die traurige Nachricht erreichte
hn bald, und als er seinen Sohn

davon benachrichtigte, so verhehlte er
ihm nicht, daß er nicht länger im Stande sey, Prices Forderungen zu entspre-
chen, der zu habsüchtig und zu hart war,
als daß er blos Liebe für seine Tochter
verlangen sollte.

Der junge L. fühlte die ganze Härte
dieses schrecklichen Schlages. Er brachte
zween Tage in tiefer Stillschweigen, und
in einer unglaublichen Niederschlagenheit
des Geistes zu. Da er aber sah, daß,
wenn er dem Kummer nachhienge, er nur
die Betrübniß eines Vaters vermehre, der
einigen Trost brauchte, um sein Unglück
zu ertragen; so bemühete er sich, seine
ehemalige Seelenruhe wieder anzunehmen,
und, ob man ihn gleich nicht durch die
erste Bemühung der Tugend dazu fähig
halten konnte, so kam er zu einem Ent-
schluße, daß er den Namen seiner theue-

en Winifried nicht erwähnen wollte, nach
 der er jetzt eigentlich gar nicht mehr streben konnte. Die einzige Schwachheit, die
r sich zu erlauben glaubte, war, daß er
ohne einige Vorsicht, ihr folgenden Brief
schickte :

„Das Unglück des rechtschaffensten,
ärtlichsten und tugendhaftesten der Vä-
er ist Ihnen nicht unbekannt. Sein Un-
ergang betrift zugleich seinen Sohn, und
dieser Sohn, den Sie nicht mehr sehen
verden, hat inskünftige nichts vom Him-
nel zu verlangen, als daß er Ihnen ei-
ten Ehemann gebe, der immer gleiche
ärtliche Achtung für Sie haben möge.‟

Der junge L. hatte sich nicht geschmeichelt; er erwartete keine Antwort.
Er erhielt jedoch den folgenden Tag eine
Zuschrift, in welcher Miß Winifried zu
verstehen gab, daß sie ihm, wegen ihrer

15

Abhängigkeit von einem Vater, auf seinen Abschied keine passende Antwort geben könne; daß sie aber ihre Gesinnungen in ihres Vaters Hause verbergen,
und keine Ansprüche irgend eines Liebha-
bers anhören wolle, und dieß sey alles,
was sie thun könne.

Bald hernach erhielt des armen Ja-
kobs Unglück noch einen Zuwachs durch
den Verlust des besten Vaters, der durch
sein Unglück, das eine zu harte Prüfung
für ihn war, war ermüdet worden.
Nachdem er das wenige, was ihm noch
übrig blieb, zusammengenommen, und alle Gläubiger gehörig befriediget hatte; so
begab er sich 20 Meilen weiter ins Herz
des Landes, auf einen kleinen Pachthof,
dessen Pacht, er das Glück hatte, zu erhalten.. Was auch hier seine Beschäfti-
gungen seyn mogten, so war er immer

in sich mit seiner Winifried beschäftiget,
und beklagte seine Trennung von ihr,
that aber doch keinen Schritt, um sich
nach ihr zu erkundigen. Zuweilen bildete
er sich ein, daß sie nicht umhin könne, ihren Vater zu gehorchen, und daß sie der
Liebling eines glücklichen Nebenbuhlers
geworden. Jedoch war das Werk seiner
Hände, und das stets sichere Vergnügen
welches aus der Sorgfalt entsteht, der
Natur in ihrem Bemühungen zur Abhel-
fung unsrer Bedürfnisse beizustehen, immer noch eine Quelle der Zufriedenheit
für ihn, und dieß war es, was seine Le-
bensgeister wieder herstellte.

Zwei Jahre waren jetzt mitten unter den Abwechslungen der Erholung und
des Kummers verfloßen, als er einen
Brief von einem Anwald zu Bath erhielt,
der ihn benachrichtigte, daß ein Vetter,

15 (2)

der eben noch bei dem Schlage eines plötz=
lichen Todes Zeit gewonnen, seinen letz=
ten Willen zu machen, ihm an baarem
Gelde und Banknoten auf 20000 Pfund,
nebst einem Gute von ungefähr 100 Pfund
jährlicher Einkünfte, hinterlassen habe.

Sein Erstaunen war bei dieser Gele=
genheit groß, und er konnte sich nicht
einbilden, wie sein Vetter in den Besitz
so vielen Geldes kommen konnte; denn
er kannte ihn als eine Person von keiner
Betriebsamkeit, und daß er von dem Ein=
kommen eines kleinen Gutes gelebt habe,
das er allemal verpachtet hatte.

Nachdem er vieles Geld in den Hän=
den der Wechsler zu Bath und Bristol
gesichert hatte; so war seine nächste Sor=
ge, so bald er nach Hause kam, seine
theure Winifried. Das Hinderniß der
Armuth konnte jetzt nicht länger eine Aus=

flucht abgeben, die seiner Verheirathung
mit ihr, im Wege stehen konnte, und er
hatte den Entschluß gefaßt, ihr persönlich
die Nachricht von seinem guten Glücke
zu bringen, als er Price den Vater, in
seinem Hause ankommen sah.

Obgleich der alte Price einige Zeit
sehr schwach gewesen war, und das Bett
gehütet hatte, da er vom Schlage gerüh-
ret worden; so war er doch begierig, sich
von der Gewißheit der Nachricht, daß der
Herr L. so plötzlich reich geworden sey,
zu versichern.

Der junge Mann sah sogleich seine
Neugierde ein, und zeigte ihm seine Ge-
währsmänner, daß der Ruf nicht lüge.
Wie glänzten dieses Kargen Augen vor
Freude! „Mein theurer Herr L., sagte
er, indem er ihm die Hand drückte, sie
sind, wie ich hoffe, noch nicht verheirathet.“

— Nein, mein Herr.— „Das ist gut; man heirathet oft zu bald.— Sie liebten einstens, wie ich glaube, meine Tochter — es ist kein besseres Mädchen in der Welt." — Ich liebte, liebe noch, und werde sie immer lieben — „Ganz gut; es gefällt ihnen also meine Winifried, sie sind ihr auch nicht unangenehm, das bin ich sicher. Wollen Sie mit nach Hause gehen, um sie zu sehen?" — Das will ich. —

Der junge L. und Winifried trafen und umarmten einander mit entzückender Freude. In solchen glücklichen Augenblicken zeigt die Liebe, wenn man vielleicht gar nicht daran denkt, mit gutem Erfolge die beredanste Sprache.

Der alte Price, den die Hofnung belebte, daß L's ganzes Geld in seine Gewahrsam würde gegeben werden, war

der erste, der in die Liebenden drang,
den Hochzeitstag zu bestimmen. Dieser,
für beide so erwünschte Tag, beschleunig-
te seine Ankunft, als Winifried ihren Lieb-
haber eilig in den Hof ihres Hauses mit
Blässe und Bestürzung, die auf seinem
Gesichte gemahlet waren, kommen sah.
„Jacob, rief sie ihm zu, indem er herein-
trat, was bringen Sie mir für Nachricht?
Hat Sie ein Unglück betroffen — oder
haben Sie sonst etwas zu meinem Nach-
theile in Ihrer Meinung von mir? Denn
ich finde in Ihnen weder die Blicke eines
Freundes, noch eines zugedachten Ehegat-
ten" — . Es ist alles verlohren, meine
ehemals theure Winifried; ich falle in
mein erstes großes Verbrechen zurück, und
der Himmel zeigte mir nur das Bild der
größten Glückseligkeit, um es mir sogleich
wieder zu entziehen, und mich tausendmal

unglücklicher zu machen. — „Wie, mein
Herr, hat Ihnen mein Vater einige
Schwierigkeiten gemacht?"— Keine einzige. Er ist noch nicht mein Feind, aber
mein übles Glück wird ihn dazu machen.
— „Was kann das für ein übles Glück
seyn? Sie sind doch nicht beraubt worden? Oder finden sich andere, die Ansprüche auf Ihres Vetters Vermögen
machen? Leider! kenne ich meinen Vater zu gut. Er wird es niemals zugeben, uns verheirathet zu sehen, bis er jeden besondern Umstand abgewogen hat,
und er ganz nach seinem Wunsche ist."
— Urtheilen Sie, wie meine Sache steht.
Wenn bei einer Erbschaft, die Ihnen zu-
fiel, ein Zufall Sie leitete, Beweise zu
finden, daß der Reichthum, der Ihnen
zugeführt wurde, nicht demjenigen zuge-
hört, der Ihnen denselben hinterließ, sondern

ndern wahren, und rechtmäſſigen Eigen⸗
hümern ..... Hier fiel Miß Price in
)hnmacht, und indem ſich der junge L.
emühte, ſie wieder zu ſich zu bringen,
nd den ſtärkſten Ausdrücken deſſen, was
ɪn Herz für ſie fühlte, freien Lauf ließ,
:at der Vater herein, der fragte, was
s gäbe? L. bat ihn, er möchte erſt
ɪiner Tochter helfen, und dann wolle er
)m alles erzählen, was er ſeiner Tochter
abe mittheilen wollen. Winifried kam
)ieder zu ſich, und begab ſich weg. Der
)ater erſtaunte, L's Geſchichte zu hören,
nd ſchien wie vom Donner gerührt, als
r den unglücklichen Brief vorbrachte, von
)elchem er ſagte, daß er ihn dieſen
Torgen in einem verborgenen Theile
ɪnes Schreibkaſtens, der ſeinem Vetter
ugshöre, und den er von Ba⸗) mitge⸗
racht, gefunden habe. Er durchlas ihn.

Es war keine Dunkelheit in dem Sinne
der Worte, in welchen er abgefaſſet war
und er war ein Jahr vorher an seinen
Vetter gerichtet worden. Der Inhalt
war dieſer:

„Da ich eben dieſes Leben verlaſ
ſen will, mein theurer alter Freund, ſo
nehme ich zu Ihnen meine Zuflucht, daß
Sie das Unrecht wieder gut machen, das
ich begangen habe, aber doch, ſo ſehr als
es mit Ihrer Klugheit beſtehen kann, de
Ehre meiner Familie ſchonen. Da ich von
einem Kaufmann zu Briſtol als Vollziehe
ſeines Teſtaments hinterlaſſen wurde; ſo
gab ich ihn zur Zeit ſeines Todes für inſol
vent aus, und durch andere Kunſtgriffe, di
hier unnöthig zu entdecken ſind, beraubte ich
zwei Waiſen ihres Vermögens. Sie leben
beide in der Stadt Briſtol, und Sie werden
ſie in dem Arbeitshauſe des St. Stephan

rchſpiels finden. Ihr Name iſt **Carey.**

h ſende Ihnen von **Glouceſter,** wo

jetzt die Schuld der Natur bezahle,

,000 Pfund Sterling Banknoten, und

enn Sie dieſelben erhalten, ſo geben

ie dieſe in die Hände des Rektors

d der Kirchenvorſteher des Kirchſpiels,

m Beſten der armen Waiſen, und legen

ie den Partheien, durch eine gute Be-

hnung Stillſchweigen auf. Es iſt für

ich, in den Augenblicken des Todes ein

ergnügen, daß ich einen Mann von

hrer bekannten Rechtſchaffenheit gewählt,

ibe, um meinem Gewiſſen durch eine-

eue Entledigung dieſer Freundſchafts-

icht Ruhe zu verſchaffen."

Nichts, ſagte der junge L., kann

utlicher ſeyn, als die Worte dieſes Brie-

s. Mein Vetter war blos der Anver-

aute der 20,000 Pfund, die er mir hin-

terließ. Gütiger Himmel! Es ist nu
feit dem Empfange dieses Briefes e
Jahr, und er ist im Stillschweigen ve
graben gewesen. Es soll mein Geschä
feyn, den schrecklichen Fehler wieder g
zu machen, und die 300 Pfund über da
was ich erhalten habe, will ich auf me
nes Vetters Gut in Gloucester aufnehme
Ich muß gleich gehen, und die beleidi
ten Waisen aufsuchen. — Winifried! A
meine theure Winifried! ich muß dich a
so verlieren. Ja, und ich selbst arbeite
an deinem Verderben! Es muß so seyr
— Ich würde deiner unwürdig seyn, un
des Lichtes dieser Welt, wenn ich eine
Augenblick anstünde, diese dringende Pflic
zu erfüllen.

Eine Ergießung von Thränen bra
bei dem jungen L. aus, da er dieses G
spräch hielt. Der Karge bemerkte sie un

schrocken, und ohne einen Zug zur Sym=
athie in seinem Gesichte sagte er: „Ich
aube, die halbe Welt ist voll von Un=
nnigen oder Thoren, und ich hielt Sie,
reund L., für einen jungen Mann von
sserm Verstande, sonst würde ich Sie
emals für meine Tochter bestimmt ha=
n. Pfui! verlernen Sie Ihre alberne
egriffe von Rechtschaffenheit und Ge=
issen; ich sage Ihnen, heut zu Tage sind
e aus der Mode. Seyn Sie kein Thor
r sich selbst; schweigen Sie stille, und
ehalten Sie das Geld; oder wenn Ih=
e Einbildung nicht sicher ist, so will ich
hr Banquier seyn, kein Gesetz noch Teu=
el soll es jemals von mir erzwingen." —
ch finde, erwiederte L., des Herrn Pri=
's Begriffe kommen nicht mit denen
berein, welche ich von meinem Vater
elernt habe, und bitte also um Erlaub=

niß, zu vermeiden, darauf zu achten.

Er sprach nur diese wenigen Worte, u:

eilte aus dem Hause.

Gleichgiltigkeit und ewige Gerechti

keit begleiteten seinen Weg nach Brist

nach welchem Orte er ohne fernern Vt

zug abgereiset war. Er wendete sich :

den Rektor des Kirchspiels, setzte mit ij

und den Kirchenvorstehern alles fest, w

in der Sache nöthig war, und beim 2l

schiede umarmte er feurig die Waisen, i

dem er ihnen sagte : Ihr habt mir nic

zu verdanken; ich bin nur das Werkzo

der Vorsehung, die über euch wachfc

gewesen ist ; aber laßt es eure Sor

seyn, euch eurer Gaben nicht unwürt

zu machen.

Auf seiner Rückreise nach Hause, w

er weit entfernt, eine unruhige Verän

rung in seinen Lebensgeistern über d

as er gethan hatte, zu fühlen, sondern
hatte noch niemals so köstliche Augen=
licke zugebracht, als diejenigen waren,
welche auf die Entäusserung eines Ver=
mögens folgten, von dem man sagen
konnte, daß er es gleichsam nur im Trau=
me genossen habe. Winifried stellte sich
einer Seele dar, aber ohne in ihr eini=
gen Unmuth zu verursachen, als sey es
jetzt nicht mehr in der Gewalt der Übel,
welche die menschliche Natur beunruhigen,
eine menschliche Seele darnieder zu schla=
gen, die sich zu den größten Aufopferun=
gen, welche die Tugend verlangt, erho=
ben hatte. Die Handlung des Herrn L's,
war blos an sich gerecht; aber die Um=
stände machten sie erhaben.

Das kleine Gut seines Vetters, wenn
es von seinen Beschwerden frey war,
konnte ihn, bei seiner eignen Betriebsam=

keit, bald in Stand setzen, wohlthätig z
werden. — Der Versuch, den er in den
jenigen Vergnügungen gemacht hatte, mi
denen ein gutes Herz, nach einer gute
That belohnt wird, gab ihm den Gedan
ken dazu ein, und gewiß erlaubte sid
niemals Jemand bei einem so geringe:
Vermögen, so oft das Vergnügen, an
dere zu verbinden. Die Achtung, welch
er sich in seinem Dorfe und in der Gegen
umher erwarb, machte, daß man sein
Gesellschaft suchte. Es wurden ihm Hei
rathen vorgeschlagen, davon einige seh
zu seinem Vortheil waren, aber das Bil
Winifrieds, die ihm immer theuer blieb
verhinderte jede neue Regung, und fesselt
sein Herz, daß es nicht von ihr abwendi
gemacht wurde.

. So ein Leben führte er, als ein neue
Anfall vom Schlage, Pricen auf imme

n den guten Dingen dieſer Erde trenn-

Winnifried, die in völliger Freyheit
ar, ſich zu vergeben, ließ die Zeit ver-
eichen, die der Anſtand zur Trauer er-
dert, aber bald darauf bat ſie eine
reundinn um die Gefälligkeit, ſie auf ei-
r kurzen Reiſe, die ſie zu thun habe,
begleiten.

Neugierig, perſönlich zu ſehen, wie
err L. auf ſeinem kleinen Gute lebe, er-
ien ſie daſelbſt; aber ohne durch Trau-
kleider anzuzeigen, daß ſie ihren Vater
rlohren habe.

Erſtaunt über den unerwarteten Be-
ch, konnte L. nur ihren Namen aus-
rechen. — „Winifried, meine theure Wi-
fried, rief er, ſehe ich Sie?“ — Mich
lbſt, antwortete ſie. — „Ach! ſagte er,
her iſt es mein Schickſal geweſen, Sie
emals zu ſehen, ohne Sie zu verlieren.“

16

— Diese Zeit ist nicht mehr, erwieder
sie, mein Vater behandelte sie mit ein:
Verachtung, welche wieder gut zu mache
mein Geschäft ist, und dieses ist es, we
mich hieher gebracht hat. Er ist todt, i
bin frei, und habe die Menschen nid
nach ihren Glücksgütern schätzen gelern
Kurz, ich bin die Ihrige, wenn Ihr He
noch das meinige ist.

L. warf sich jetzt in einer zärtlich:
Umarmung der Winifried um den Hal
und erwarb sich durch diesen Beweis d
Zärtlichkeit, eine neue Versicherung sein
Glückseligkeit. Sie wurden bald getrau
und er war der glücklichste Eheman
Aber diese Glückseligkeit übertraf dó
bei weitem nicht jene innere und wesen
lichere, welche durch die Hilfe, welche
den armen hilflosen Waisen verschafft ha
te, so tief in seine Seele eingedrung:

ar. Hier war das Vergnügen in fei-
r Reinheit, das von keinem jener Kenn-
ichen vermindert wird, welche Sätti-
ing, Reue und Unluft mit sich bringen.

XXVI.

Leichtsinn und Edelmuth.

(Eine wahre Geschichte nach dem franzö
sischen Kinderfreunde des Herr
Berquin.

Der Hauptmann von P**, ein Spiele
der ersten Größe, hatte verschiedene Bä
der durchreist, und kam zur Michaelmeß
von Pyrmont in L** an, wo er währen
der Messe auf einem ansehnlichen Kaffee
hause eine Farobank unterhielt. Er ha
te sich bereits ein ansehnliches Vermöge
zusammengespielt; ein in der That selt

er Fall bei einem Spieler, denn man
agt ja im Sprichwort: „Wie gewonnen,
o zerronnen,“ und dieses lügt selten.
Vielleicht war indessen unser Hauptmann,
egen die Sitte gewöhnlicher Spieler,
nachdenkend und ökonomisch genug, um
die Zukunft nicht ganz aus den Augen
u verlieren; doch lassen wir das unent-
chieden. Ob er übrigens seinen Reichthum unbeschadet seiner Rechtschaffenheit
erworben hatte, oder ob diese auf seiner
allerdings schlüpfrigen Laufbahn zuweilen
gestrauchelt, vielleicht gar zu Falle gekommen war, das muß ich ebenfalls dahin
gestellt seyn lassen, da ich mit der Ju-
gendgeschichte dieses Mannes nicht be-
annt bin, und nicht gern etwas behaup-
en möchte, wodurch ich einem Menschen
u nahe treten könnte. Genug, man
wußte ihm während seines Aufenthaltes

in L** nichts Unrühmliches, am wenigsten
eine Betrügerei, nachzusagen, vielmehr
wird euch, meine lieben Leser, der Zug
den ich euch von ihm erzählen will, mit
seinem Karakter vollkommen wieder aus
söhnen, dafern er durch sein Gewerbe
in Betreff der Ehrlichkeit, sich einigermaß
sen bei euch in Mißkredit gesetzt haben
sollte. Mehreremal hatte von P** be
reits mit großem Glücke gespielt, als er
eines Abends einen jungen Menschen zum
Farotisch treten sah, der ihm ganz das
Ansehen eines eben vom väterlichen Hau
se angekommenen Musensohns zu haben
schien. Wenigstens konnte man an seinen
ganzen Betragen deutlich abnehmen, daß
er sich das erstemal hier befand. Gleich
bei seinem Eintritte hatte er die Aufmerk
samkeit des Kapitains auf sich gezogen
dem er durch seine Jugend und durch die

nbefangene Offenheit seiner Gesichtsbil‐
ung einiges Interesse einflößte; er nahm
ch daher vor, den jungen Menschen ganz
nmerklich zu beobachten, zumal er ihn
n einer Gesellschaft erblickte, die ihm schon
ängst eben nicht von der vortheilhaftesten
Seite bekannt war. Lange hatte er schon
nbeweglich und mit unverwandten Bli‐
en die Karten und die aufgeschütteten
Haufen goldner und silberner Münzen
ngestaunt, und aus seinen Augen leuch‐
ete ganz unverkennbar der Wunsch her‐
or, auch sein Heil im Spiel zu versu‐
hen. — Oft fuhr er mechanisch in die
Westentasche, um die goldnen Pfennige
araus zu erlösen, die gleich Gefangnen
er ersehnten Freiheit entgegen schmachte‐
en; aber immer zog er die Hand unent‐
hlossen zurück, weil ihm noch eben zu
rechter Zeit die Warnungen seiner Mut‐

ter und die gutgemeinten Lehren seine
Vaters ins Gedächtniß kamen, mit dene
die guten Ältern, für sein künftiges Schick
sal besorgt, ihn entlassen haben mochten
— Der Kapitain, dessen Beobachterbli
cken keine Bewegung des Jünglings ent
ging, bemerkte diese ängstliche Unentschlos
senheit gar wohl, und errieth, als ei
feiner Menschenkenner, aus seinen Ge
sichtszügen den Kampf zwischen Pflich
und Begierde, der in seiner Seele vor
ging. — Aber er that, als hätte er nicht
bemerkt, und fuhr fort, den jungen Men
schen im Stillen zu beobachten. Abe
warum, hör' ich euch fragen, meine jun
gen Leser, warum warnte er den Jüng
ling nicht, da er als ein Mann von Er
fahrung ihn von seinem unseligen Begin
nen durch wenig Worte zurück und zu
Ueberlegung führen konnte? — Geduld,

eine Lieben! laßt mich vorerst meine
eschichte beendigen, ehe ihr das Verfah»
n des Hauptmanns beurtheilt! — Ge»
ıg für jetzt: es lag außer seinem Plane.
e länger der Unentschlossene diesem
lücksspiel zusah, desto mehr wuchs seine
egierde., und aufgemuntert durch das
ureden, und noch mehr durch das Bei»
iel seiner Gefährten, denen das Glück
sher nicht abhold gewesen war, griff
abermals in die Tasche, und zog ei»
ın Dukaten hervor, um eine Karte zu
ısetzen. Sie schlug um. Der falsch auf»
efaßte Begriff von Ehre, der schon so
anchen jungen Mann unglücklich ge»
acht, und ins Verderben gestürzt hat,
erstattete ihm nicht, es dabei bewenden
ı lassen; dieß und die Begierde, seinem
Jerlust augenblicklich wieder beizukommen,
ieb seine Hand unvermerkt wieder in die

Tasche, und der zweite Dukaten, den er hervorbrachte, hatte das Schicksal des er stern. Das nämliche Geschick erfuhren nach und nach auch die übrigen; und in kurzer Zeit befanden sich sechs derselben in den Händen des Banquiers. Das war alles, was der arme Verblendete zu sich gesteckt hatte. — Mit Augen, in wel chen sich der Schmerz über seinen Verlust nur zu lebhaft mahlte, begleitete er sein geschiedenen Freunde. Unentschlossen und einem Träumenden ähnlich stand er einig Minuten da, und seine Mienen verriethen dem Kapitain, was in ihm vorgieng Endlich reifte sein Entschluß zur That Mit schnellen Schritten verließ er das Zimmer, und kehrte nach einer halben Stunde mit seiner gesammten Baarschaft zurück, die aus zwei hundert Thalern bestand. Das war aber auch nicht weni

r, als sein ganzes Vermögen, Alles,
as ihm sein Vater auf die Akademie
itgeben konnte. — Mit der täuschenden
Miene ruhiger Entschlossenheit trat er
bermals an den Spieltisch; allein der
nglückliche vermochte mit all seinem hei-
en Durste nach Gewinn, doch der gräm-
chen Fortune kein günstiges Lächeln ab-
gewinnen; er verlohr in einem fort,
nd selbst dann, als die Hälfte seines
einen Schatzes bereits verlohren war,
nd die Verzweiflung mit starrenden Zü-
en in seinem Gesichte sich mahlte, selbst
ann blieb die partheyische Göttin unbe-
egt, und die andere Hälfte folgte in
rzem der erstern auf dem Fuße. Da
and nun der unbesonnene Jüngling,
on Reue und Verzweiflung gefoltert,
on Gewissensbissen gepeinigt, unvermö-
end einen andern Gedanken zu denken,

als seinen für ihn unüberseslichen Ve
lust. Seine Augen starrten unbewegli
nach der Ecke des Tisches hin, auf we
chem die schönen Dukaten und die bla
ken Spezies, die vor einer Stunde no
sein Eigenthum waren, nebst einer Me
ge anderer aufgehäuft lagen. – In all
seinen Gesichtsmuskeln arbeitete der hefti
ste Schmerz. — Der Zustand dieses u
glücklichen jungen Menschen war in d
That erschrecklich, und würde die Herz
der Umstehenden mit dem innigsten G
fühle des Mitleids erfüllt haben, wer
nicht die mehresten zu sehr beim Spie
interessirt gewesen wären, um auf irger
etwas andres merken zu können. — D
Kapitain, der doch als Banquier de
meiste Interesse dabei haben mußte, we
demohngeachtet vielleicht der einzige, d
seine ganze verzweifelte Lage durchschau

Lange verharrte der Unglückliche in
nem leblosen Hinstarren, bis er endlich
nz unwillkührlich nach der Uhr griff,
auch diese noch hinzuopfern; aber in
m Augenblicke hob man das Spiel für
sen Abend auf. Die mehresten verlie-
n das Zimmer, weil es über Mitter-
cht war, nur der Hauptmann von P**
eb, und nahte sich dem jungen Men-
en, der noch immer in seiner vorigen
tellung unverrückt da stand.

Hauptmann v. P** Darf ich
r Ihren Namen ausbitten?

Der junge Mensch. (wie aus
m Traume erwachend) Meinen Na-
en? — ich heiße F**.

Hptm. v. P**. Und Ihr Logis?

Der j. M. Im Lindnerischen Haus
auf der Hestraße zwei Treppen hoch.

Das sagte er in so melancholischen

Tone, daß es dem Hauptmanne durch
Mark und Bein drang, und daß dieser
nicht umhin konnte, wenigstens einige
Worte des Trostes hinzuzufügen.

Hptm. v. P**. Seyn Sie ruhig.
Ihr Verlust ist nicht unersetzlich. Gehen
Sie nach Hause, und legen Sie sich schla-
fen. Man wird Etwas für Sie thun. —

Mit diesen Worten ging er aus dem
Spielzimmer. — Der junge F**, den der
freundliche Zuspruch des fremden Offiziers
in etwas wieder zu sich selbst gebracht
hatte, folgte ihm nach einigen Minuten,
und kam mit dem nagendsten Kummer im
Herzen auf seinen Zimmer an. Ich vermag es nicht, euch die jammervolle Lage
zu schildern, in der er sich befand, da er
wieder zu einiger Besonnenheit gelangte;
bald verwünschte er den unseligen Gang
nach dem Kaffeehause; bald fluchte er auf

seine Verführer, die ihn zu diesem Gange
verleitet hatten; bald scholt er sich selbst
einen Leichtsinnigen, einen Undankbaren,
einen ungerathenen Sohn, bis zuletzt ein
Strom von Thränen des bitterften Un=
willens seinen vielfältigen Schmähungen
ein Ende machte. Er warf sich in seinen
Kleidern, wie er war, aufs Bette, und
schlief in kurzem ermattet von der hefti=
gen Seelenspannung ein. Noch lag er
in sanftem Morgenschlummer, als er et=
was an seiner Thüre klopfen hörte; er
stand auf, öffnete sie, und ein Bedienter
brachte ihm folgendes Billet.

„Der Offizier, den Sie gestern beim
Farotisch sahen, und der Ihnen beim Ab=
schied seine Theilnahme über Ihren Ver=
luft bezeigte, wünscht Ihre nähere Be=
kanntschaft zu machen. Er hofft Ihnen
in Ihrer unangenehmen Lage nützlich zu-

werden. Wenn Ihnen daran gelegen ist,
bei Ihrer Unbekanntschaft mit der Welt
einen Freund zu erlangen, der sich Ihnen
selbst anträgt, so kommen Sie diesen
Nachmittag zwischen 3 und 4 Uhr ins
Hotel de **, und Sie werden ihn finden
in dem

Hauptmanne v. P**."

Diese Zeilen machten einen eignen
Eindruck auf den jungen Menschen: es
ward ihm nach Lesung derselben wie ei«
nem, der eben in einen tiefen Abgrund
zu stürzen im Begriff ist, und sich zu rech»
ter Zeit noch durch den Arm des herbeiei«
lenden Retters zurückgehalten fühlt. Jetzt
entsann er sich wieder des unbekannten
Offiziers, und die Worte, die er gestern
nur mit halben Ohren g hört hatte, ka»
men ihm wieder ins Gedächtniß, und flöß»
ten ihm von neuem Hoffnung ein. Um

vieles beruhigter kleidete er sich an , und
harrte mit Sehnsucht dem bestimmten
Glockenschlage entgegen. Nun ward er
erst im Stande, Betrachtungen über sei=
nen Zustand anzustellen, und da zeigte
es sich dann, daß er ohne der thätigen Theil=
nahme des unbekannten Menschenfreundes
unbeschreiblich unglücklich seyn würde;
denn er war in der That so rein ausge=
plündert, daß er nicht einmal das Mit=
tagsessen für heute bezahlen konnte. Was
er ohne diese Schickung der Vorsehung
angefangen haben würde, darüber war
er noch ganz ungewiß. Ohne Zweifel
hätte er sich stehenden Fußes zum Solda=
ten anwerben lassen. Unter diesen und
ähnlichen Betrachtungen war die festge=
setzte Zeit endlich herangekommen, und
kaum hatte die Uhr auf dem Rathhaus=
thurme den Schlag drei ausgebrummt,

17

als er schon mit Schritten, welche die
Hoffnung beflügelte, zu seinem edelmü=
thigen Retter ins bezeichnete Hotel eilte.
Er fand denselben eben über den Zeitun=
gen sitzend, in die er so vertieft schien,
daß er den Eintritt des jungen F** gar
nicht bemerkt hatte. Schüchtern und un=
entschlossen, ob er sprechen sollte oder
nicht, nahte sich dieser mit leisem Schritte;
durch das sich nähernde Geräusch in sei=
ner Aufmerksamkeit gestört, sah sich der
Kapitain um, erblickte den jungen Men=
schen, und — doch, ich will euch, meine
Lieben, das Gespräch, das nun zwischen
beiden gehalten wurde, lieber ganz her=
setzen.

Hauptmann v. P**. Sieh da,
Herr F**. Seyn Sie mir willkommen!
Sie kommen sehr pünktlich, und das ist

nir lieb. Es zeigt, daß Sie Zutrauen
u Ihrem unbekannten Freunde haben.

F**. Ihre Bekanntschaft mit meiner traurigen Lage und Ihre edelmüthige
Theilnahme berechtigen mich allerdings zu
inem so unbedingten Vertrauen.

Hauptmann v. P**. Sie ha-
en vermuthlich sonst wenig Bekannte
ier?

F**. Keinen Menschen.

Hauptmann v. P**. Aber,
erzeihen Sie meine Fragen, es werden
erer mehrere folgen, — denn ich fra-
e nicht aus bloßer Neugierde. Die bei-
en Herrn, in deren Gesellschaft Sie ge-
ern aufs Kaffeehaus kamen?

F**. Sind ein paar Reisegefährten,
ie sich auf der letzten Station in W* zu
ir gesellten, und die mir unterwegs eine
Menge kleiner Gefälligkeiten erzeigten.

17 (2)

Bei meiner Ankunft erboten sie sich, mich ein wenig herumzuführen, und mit der Stadt bekannt zu machen, da sie hörten, daß ich ganz fremd in L** sey, sie waren es, die mich zu dem unseligen Gange auf das K—sche Kaffeehaus beredeten. Übrigens sind mir die Herrn so unbekannt, als jeder andre Mensch in L**.

Hauptm. v. P**. Ich kenne die Vögel: es sind ein paar lockre Gesellen, deren Bekanntschaft ich bei meinem Aufenthalte in G** machte, wo sie studirten. — Der eine ist ein falscher Spieler, der eines Abends über seinen Kunstgriffen ertappt, und die Treppe hinunter geworfen wurde; der andre mußte Schulden halber bei Nacht und Nebel die Stadt verlassen. — Armer junger Mann! Sie waren da in schöne Hände gerathen. Nehmen Sie sich künftig vor diesen Schur-

ken in Acht. — Vermuthlich lag es außer ihrem Plane, daß Sie in jener unglücklichen Nacht all Ihr Geld verlohren,
oder sie mochten Sie für reicher halten
als Sie in der That waren. — Indessen
lassen wir die Schurken laufen, machen
Sie mich lieber ein wenig mit Ihren Fa-
milienumständen bekannt.

-F**. Meine Geburtsstadt ist H**
in Sachsen, wo mein Vater Accis-In-
spektor ist. Der Dienst ist klein, und
trägt etwa hundert Thaler, von denen
es unmöglich wäre, eine Familie von vier
Kindern zu ernähren, wenn mein Vater
nicht nebenbei eine ansehnliche Praxis und
die Geldgeschäfte des benachbarten Adels
betriebe. Ich verließ vor drei Jahren
das väterliche Haus, und bereitete mich
auf der Fürstenschule in M** zur Akademie vor; nach Verlauf dieser Zeit schickte

mich mein Vater hieher, um die Rechte
zu studieren. — Bei meinem Abschiede
gab er mir einen Wechsel von zwei hundert Thalern, den ich in L**. umsetzen
sollte, und erklärte mir zugleich unter den
väterlichsten Ermahnungen, daß dieß alles sey, was er mir während der drei
Jahre meines Studierens geben könne,
und daß er das Wenige bei sauerm Schweiß
und einer oft kargenden Sparsamkeit für
mich zurück ge'egt habe. — „Suche dich
vorerst damit einzurichten, sagte er, bei
einer weisen Ökonomie läßt sich mit zwei
hundert Thalern weit kommen. Unterdeß glückt es dir vielleicht, durch deinen
Fleiß und durch ein gutes Betragen Bekanntschaften zu machen, die dir zu deinem Fortkommen förderlich seyn können.
Vor allen Dingen wende deine Zeit gut
an; wer ordentlich und planmässig stu-

diert, bringt in einem Jahre mehr vor
sich, als der Unordentliche kaum in drei
Jahren zu lernen vermag. — Ich habe
dir hier einen Plan vorgezeichnet, den du
im Einzelnen den Umständen gemäß ab-
ändern magst. Übrigens hüte dich vor
großen Bekanntschaften unter deinen Mit-
brüdern; vorzüglich nimm dich vor den
sogenannten guten Freunden in Acht, die
dir allzubereitwillig ihre Freundschaft ent-
gegentragen. Den ehrlichen aufrichtigen
Mann wird dein gerechtes Mißtrauen
nie beleidigen, und dem schlauen Betrü-
ger benimmst du dadurch die Gelegenheit,
an dich zu kommen." — Ach! der gute
Vater, er ahndete es wohl in dem Augenblicke nicht, daß ich so bald seine Ermahnungen vergessen würde? — Meine Mutter gab mir noch sechs Dukaten, als ein
heimlich erspartes Taschengeld, mit, und

so machte ich mich auf die Reise. — Das
Übrige wissen Sie, und können sich gewiß
ein Bild davon machen, wie schrecklich
mir der gestrige Abend verstrichen ist.

Hauptm. v. P**. Ich bedaure
Sie, junger Mann, und das um so mehr,
da mir Ihre Offenheit einen Beweis von
Ihrem guten Herzen giebt. — Aber, was
denken Sie nun zu machen?

F**. Aufrichtig gesagt, ich weiß
es nicht. Gestern ließ mich der Schmerz
über meinen Verlust nicht zum Nachdenken kommen; — und heute flößte mir
Ihr tröstendes Billet die Hoffnung ein,
daß der edelmüthige Unbekannte mir wenigstens Rath ertheilen würde, den ich
blindlings zu befolgen entschlossen bin. —

Hauptm. v. P**. Eine Hofnung,
die nicht ungegründet seyn dürfte. Indeß noch eins: Haben Sie vorher nie

gespielt? Ich weiß es aus Erfahrung, daß sich in kleinen Städten eben so wohl Gelegenheit zum Spiel vorfindet, als hier und an andern großen Orten.

F**. Ich will ganz aufrichtig gegen Sie seyn. — Schon in M* war ich oft bei Spielparthien, welche die Schüler der obern Klasse des Sonntags auf den benachbarten Dörfern veranstalteten; ich war immer glücklich, und dieß erweckte in mir unmerklich einige Neigung zum Spiel; das bestimmte mich auch gestern, ein Glück im Großen zu versuchen — aber leider! —

Hauptm. v. P**. Wandte Ihnen das Glück im entscheidenden Augenblicke den Rücken. Genug davon. — Ich will Ihnen keine Vorwürfe machen, Sie haben bereits hart genug für Ihre Unbesonnenheit gebüßt. Auch bedarf es eben keiner

weitern Warnung. Ihr Unglück wird
Sie hinlänglich warnen. Nur danken
Sie dem Himmel, daß ich es war, an
den Sie Ihr Geld verlohren.

Mit diesen Worten zog er ein Schub-
fach in seinem Schreibtisch hervor, und
überreichte dem jungen F** zwei Rollen
Dukaten.

Hauptm. v. P**. Hier gebe ich
Ihnen Ihre zwei hundert Thaler zurück. —

F**. (ausser sich, will ihm zu Füssen) Mein edelmüthiger Wohlthäter —

Hauptm. v. P**. Stille davon!
Bringen Sie Ihren Dank im Stillen dem,
der im größten Unglück uns unverhoffte
Rettung sendet.

F**. (mit Thränen) Ihr beispiel-
loser Edelmuth —

Hauptm. v. P**. Sey Ihnen eiie Aufmunterung zum Fleiß und zur Rechtschaffenheit. — Aber es sey mir nicht genug, das wieder gut gemacht zu haben, was das Glück verdarb. Ich liebe Sie, ich nehme Theil an Ihrem Schicksale.

F**. Ach! das haben Sie eben auf die edelste Art bewiesen Zeitlebens —

Hauptm. v. P**. Stille! — Lassen Sie mich ausreden. Ich möchte gern, daß einst ein braver Mann aus Ihnen würde; ich werde Sie sorgsam beobachten, und finde ich, daß Sie mit rühmlichen Eifer nach diesem Ziele hinarbeiten, so werde ich für die Zukunft Ihr Glück machen. — Vor jetzt bitte ich mir zuweilen Ihren Besuch aus, und versichre Ihnen instweilen als ein kleines Taschengeld monatlich zwei Dukaten. Während meiner Abwesenheit wird Ihnen der Kaufmann G** diese Kleinigkeit auszahlen. —

Der junge F**, bis ins Innerste durch
drungen von der ungewöhnlichen Groß
muth des fremden Offiziers, war aber
nials im Begriff, seinen Gefühlen Wort
zu geben, die seinem Wohlthäter sein gan
zes Herz enthüllen sollten; aber der Ka
pitain ließ ihn nicht dazu kommen.

„Die beste Art, sprach er, wie Si
mir Ihre Dankbarkeit bezeigen können, ist
daß Sie durch Ihr künftiges Betragen di
gute Meinung rechtfertigen, die Ihr Freun
von Ihnen gefaßt hat,“ — Mit diese
Worten schob er ihn sanft zur Thür
hinaus. —

Wenn ihr selbst gefühlvolle Herze
habt, meine Leser, denen die Empfindun
gen der Dankbarkeit nicht fremd sind
wenn ihr es verstehen könnt, wie es der
Unglücklichen zu Muthe ist, dem in sei
nem Hoffnungslosen Zustande ein thätige
Freund erscheint, dann könnt ihr euc
auch die Empfindungen denken, mit de
nen der junge F** seinen Retter verließ.

Als er auf seinem Zimmer ankam

ankte er mit Innbrunst Gott, der ihn
urch kurzes Leiden weise gemacht, und
urch eine unverhofte Rettung erfreut
atte, und der Entschluß, nach dem vor-
ehabten Ziele zu streben, brav und ge-
einnützig für die Welt zu werden, flamm-
e hell auf in seiner Seele, und reifte zur
hat. Genug, er betrug sich in Zukunft
anz dem Wunsche seines Wohlthäters,
emäß, und lebte seinen Ältern zur Freu-
e, als ein Beispiel der Nachahmung für
Jünglinge, die, so wie er, brauchbare
Männer zu werden wünschen.

XXVII.
Die Armuth ist keine Schande.

Ein verabschiedeter Offizier, der als ein
eschickter und ehrlicher Mann bekannt
ar, speiste einmal zu Mittage bei ei-
em Minister. Bei der Tafel zog dieser
ine goldene Dose hervor, Jedermann

bewunderte sie, und sie gieng von Hand zu Hand den ganzen Tisch herum. Nach einiger Zeit wollte der Minister wieder eine Priese nehmen, aber er konnte die Dose in seiner Tasche nicht finden. Auch konnte er sich nicht besinnen, daß er sie vorher, da sie herumgieng, wieder bekommen habe.

Die ganze Gesellschaft war bestürzt, und einer von den Gästen meinte, es könne sie wohl jemand von ihnen in Gedanken eingesteckt haben. Jeder durchsuchte darauf seine Tasche, — aber keiner fand sie.

Ja, sagte ein anderer Gast, es müsse der ganzen Gesellschaft daran gelegen seyn, daß die Dose wieder gefunden würde. Sein Rath wäre also, daß einer nach dem andern aufstände und seine Taschen vor jedermanns Augen umkehrte. Er selbst machte den Anfang. Alle andre folgten seinem Beispiele.

Da aber die Reihe an den abgedankten Offizier kam, weigerte sich dieser eben dasselbe zu thun.

Man sagte ihm, er würde sich da=
urch sehr verdächtig machen. Aber er
ntwortete, daß sein ganzes vorherge=
endes Leben ihn wider den Verdacht ei=
es Diebstahls schützen könne, und blieb
ei seiner Weigerung.

Da zweifelte nun kein Mensch, daß
r der Dieb sey, und alle sahen ihn mit
Verachtung und mit Unwillen an. Er
rtrug diese Schmach mit Geduld und
ieng nach aufgehobener Tafel zu Hause.

Des Abends, da der Kammerdiener
es Ministers Kleid weglegen wollte,
and er die vermißte Dose unter dem Fut=
er, wohin sie durch ein Loch der Tasche
esunken war. Der Minister freute sich
ber die gerettete Unschuld eines ehrlichen
Mannes, und ließ am folgenden Morgen
en Offizier wieder zu sich einladen. Die=
er erschien, und der Minister, der ihm
nit offenen Armen entgegen gieng, er=
ählte ihm die Geschichte mit der wieder=
efundenen Dose. Dann bat er ihn, er
nöchte ihm doch die Ursache sagen, warum
r gestern seine Tasche nicht habe umkeh=
en wollen?

Jetzt, antwortete der Offizier, da wir
llein sind, kann ich sie Ihnen sagen; ge=
tern konnt' ichs nicht, weil ich besorgen
mußte, daß unter den Fremden einer oder

der andere ſeyn möchte, der mir aus meiner unverſchuldeten Armuth ein Verbrecher
machte. Da ich geſtern zu Ihnen kam, wußte
ich nicht, daß ich bei Ihnen ſpeiſen würde.
Ich hatte mir daher unterweges eine Wurſt zur Mittaghmahlzeit gekauft
weil ich nicht Geld genug habe, mir an
dere Speiſen zubereiten zu laſſen. Dieſe
Wurſt würde jedermann geſehen, und
mancher würde darüber gelacht haben
wenn ich die Taſche umgekehrt hätte
Deswegen weigerte ich mich, es zu thun.

Der Miniſter umarmte ihn von neuem
und verſprach, ſogleich an den König zu
ſchreiben, und um eine Stelle für ihn zu
bitten Dann ließ er die ganze geſtrig
Geſellſchaft wieder zu ſich bitten, und de
dieſe verſammelt war, nahm er den Offizier bei der Hand, und trat mit ihm ins
Zimmer.

Jedermann erſtaunte. Aber der Miniſter zeigte ihnen die wiedergefunden
Doſe, ſagte, wo ſie gefunden worden ſey
und ſtellte ihnen den Offizier als einen
ſehr würdigen und rechtſchaffenen Mann
vor, der alle Achtung verdiene.

E n d e.

—∞◉◎◉∞—

Nützliches und lehrreiches

Unterhaltungsbuch.

In schönen Erzählungen

für

die liebe Jugend.

Von

J. H. Campe.

Frankfurt und Leipzig,

1 8 0 2;

Vorbericht

———— ✠ ————

Hauptzweck, Kindern eine angeneh-
zugleich belehrende Unterhaltung
ihren, hat diese kleine Sammlung von
ngen und andern Aufsätzen mit so vie-
iften, die in gleicher Absicht geschrieben
mein. Nur die Wahl des Stoffs ist es,
er Verfasser derselben zum Verdienst
t, insofern nämlich die Muster, die hier
ben, und den Kindern als nachah-
ürdig ans Herz gelegt werden, nicht
r erträumten fabelhaften, sondern au

)(2

der wirklichen Welt, aus der Erfahrung h[...]
nommen sind. — Man giebt Kindern, we[...]
eben kein ernsthaftes Buch lesen sollen, gew[...]
lich Feenmärchen, oder andere Bücher be[...]
in die Hände, welche ihre Einbildungskra[...]
Schrecken und Erstaunen setzen, ohne f[...]
als Beyspiele zur Nachahmung dienen zu [...]
nen; und deren etwanige moralische Seit[...]
Kind auch noch nicht auffinden kann. [...]
aber soll man die jugendliche Einbildungs[...]
mit Dingen erfüllen, die gar nicht vorha[...]
sind? Welchen Nutzen kann es haben, i[...]
kindlichen Seele übernatürliche wunder[...]
Vorstellungen und Bilder zu erwecken, w[...]
sie die Originale nie in der wirklichen Wel[...]
den? — Desto vorzüglicher und gemeinnü[...]
sind also die Einkleidungen, wo, wie i[...]
gegenwärtigen, die Moral praktisch einl[...]
tend ist, die Tugend handelnd eingeführt [...]
und Glück und Ruhm nur im Gefolge der R[...]
schaffenheit, des theilnehmenden uneigen[...]
gen Wohlwollens, der Mildthätigkeit un[...]

Vorzüge erscheinen, die den Menschen

. — Lediglich auf diese Gemeinnützigkeit

ränkt sich der Ehrgeiz des Verfassers, wel=

den Ruhms, seinen Mitbürgern erprieß=

zu seyn, für den einzigen hält, den zu er=

en er der Mühe werth achtet.

An die Jugend.

Ihr werdet, hoffe ich, dieses Buch nicht aus der Hand legen, ohne den lebhaften Wunsc und das Bestreben zu fühlen, die hie auf jeder Seite gepriesenen schönen und groß müthigen Handlungen nachzuahmen, oh wenigstens einige derselben Eurem Herzen ti einzuprägen. Ihr sehet in diesem Buche, w der rechtschaffene Mensch seiner Vergeltun

mer gewiß iſt, und ſollte ſeine That auch
n Augen der Welt entgehen, ſo lebt doch
n untrüglicher allwiſſender Zeuge aller ſei=
er geheimſten Gedanken; es lebt ein Gott,
n allmächtiger, gütiger, gerechter Richter!
dieſer iſt es, welcher der Tugend ein Glück,
ne Zufriedenheit angewieſen hat, deren das
aſter auch bey der glänzendſten Auſſenſeite
ie theilhaftig werden kann. Habt ihr nicht
hon in der Stunde eines feſten Entſchluſſes
reiner guten That, eine ſolche reine leben=
ige Freude gefühlt, mit der ſich keine irrdi=
he vergleichen läßt? Zu ähnlichen Gefühlen
ieten Euch die Schilderungen guter edler
geſinnungen und Handlungen in dieſem Bu=
ze die Hand; gebt Euch dieſen Gefühlen hin,
abt ſie bey Euren eignen künftigen Hand=
ungen ſtets vor Augen, und ſie werden Euch
ine bleibende, dauernde Aufmunterung zum

✣ VIII ✣

Guten und eine kräftige Warnung vor all
Laster gewähren! Ihr werdet dann bald e
sehen, daß nur Tugend wahrhaft ewig gll
seelig macht!

I.

Triumph der kindlichen Liebe.

⌣

n Handelsmann aus der Provinz, von
mittelmäßigem Vermögen, aber von
üfter Rechtschaffenheit, hatte beträchtliche
nmen im Handel verloren, und war durch
queroutte ins größte Elend gerathen; — so
mt er nach Paris, um dort ein Unterkom-
oder Unterstützung zu suchen; er wendet
daselbst an alle seine Correspondenten,
ihnen seine unverdient erlittenen Unglücks-
vor, und bittet sie, ihm wieder etwas
uhelfen; — zu gleicher Zeit versichert er
n Gläubigern heilig, er wünsche nichts
licher, als sie zu bezahlen; er wolle zu-
en sterben, wenn das ihm gelänge. Von
leid gerührt versprechen sie ihm insgesammt
Beystand. Nur einer von seinen Gläu-
en, ein hartherziger Mann, dem er tau-
Thaler schuldig war, bleibt unerbittlich.

A

läßt ihn ins Gefängniß setzen, mit dem
Vorsatz, ihn lieber dort sitzen zu lassen
noch länger auf die Bezahlung der S
zu warten. Unterdeß erfährt der Soh
Handelsmannes, ein Jüngling von 22
ren, die traurige Lage seines Vaters,
nach Paris, wirft sich zu den Füßen de
erbittlichen Gläubigers, bittet ihn, in
nen zerfließend, in den beweglichsten rüh
sten Ausdrücken, um die Befreyung
Vaters, — und fügt die Versicherung h
daß er gewiß, wenn er ihnen nur den
und die Hoffnung nicht abschneiden wolle,
Geschäfte fortsetzen zu können, — der
seyn sollte, der bezahlt würde. Und nu
te auch alles ihnen fehlschlagen, so mö
doch, beschwur ihn der Jüngling, Mitlei
seiner Jugend haben, und nicht fühllos
das Elend seiner Mutter seyn, die mit 8
dern nun dem Bettelstabe nahe sey; —
ist dies alles nicht im Stande, Sie zu
gen, so endigte der Jüngling, so lassen
wenigstens mich an meines Vaters Sta
Gefängniß, damit er doch wenigstens
Arbeit und Fleiß Sie zufrieden stellen kön
Bey diesen letzten Worten umschloß der

so warm, so fest die Knie des harten un=
samen Mannes, und blieb in banger Er=
tung in dieser Stellung liegen, daß jener
ich von seinem Edelmuthe gerührt wurde,
umarmte, und mit thränenden Augen
rief: „Ja! mein Sohn, Dein Vater soll
seyn. Deine anhängliche Liebe, die auf=
rnde Zärtlichkeit gegen deinen Väter be=
nt mich. Lange genug habe ich wider=
den; das Andenken daran soll jetzt auf
er verlöscht seyn. Ich habe eine einzige
ter, die Deiner würdig ist, die das näm=
für mich thun würde, was Du für dei=
Vater thust; — sie soll Dein seyn, und
nein Erbe dazu. Jetzt komm! zu deinem
er, ihm seine Erlösung anzukündigen, und
seine Einwilligung für Dich anzuhalten.

Laßt uns Gutes thun, ohne die Besorg=
es an undankbare zu verschwenden. Zwie=
wird Gott uns jede Wohlthat vergelten,
wir unserm Nächsten, hundertfach die=
he wir unsern Feinden zufügen.

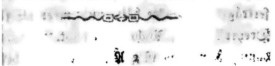

II.

Der Wasserträger.

Ein Wasserträger aus der Vorstadt St.
main, wurde, indem er die Gassen auf
abgieng, um seine Waare auszubieten,
am Ende einer Allee von einem Mädchen
gerufen, welche einen Eymer Wasser
Stockwerk hoch wollte getragen haben,
im voraus schon erinnerte, sie könne ihm
mehr als einen Dreyer dafür geben. „
Dreyer, erwiederte er, und dafür soll ich
Treppen steigen? Ich dächte, ich werd
doch zum wenigsten zwey Dreyer dafür.“ „
mag seyn! antwortete das Mädchen,
niemand kann mehr geben, als er hat,
ich habe nicht mehr.“ „Was? rief der
serträger aus, Sie hätte nicht mehr als
Dreyer?“ — „Wahrhaftig nicht.“ — „
dann, wenn das ist, so kann es nichts he

ich will Ihr das Waſſer dafür tragen."

folgt ihr auf einer ſchmalen beſchwerlichen

pe, in eine dunkle kleine Kammer, deren

blen auſſer den vier Wänden in einem al-

elenden Strohbette, und einigen rußigen

zerbrochenen Töpfen beſtanden, in welche

re er ſein Waſſer ausſchüttete; — kurz,

zeugte von der größten Dürftigkeit. —

e iſt wohl recht arm, mein liebes Kind!'

der Waſſerträger aus. — "Wie Ihr

, erwiderte das Mädchen; ich habe oft

Brod; glaubt Ihr denn wohl, daß, wenn

emittelt wäre, ich euch ſo wenig für Eure

re würde gebotten haben? Hier iſt ſo viel,

ich Euch verſprochen habe; es iſt, wie ge-

, alles, was ich habe. Gerührt von ih-

Zuſtande, giebt der Waſſerträger ihr die

nze wieder, langt aus ſeiner eignen Ta-

einige Groſchen heraus, und giebt ſie ihr

den Worten: „Hier hat Sie alles, was

heute verdient habe. Mit Gottes Hülfe

e ich vielleicht bald wieder ſo viel zuſam-

bringen." Und hiermit gieng er mit ſich

zufrieden zur Thüre hinaus.

Es bieten ſich in der bürgerlichen Geſell-

t wohl tauſend Gelegenheiten dar, einan-

ver wechfelfeitig zu helfen und beyzuftehen,
das Labfal, das Wohlthaten demjenigen geu
ren, dem fie erzeigt werden, überwiegt
Opfer, das fie dem Geber koften.

III.

Die Schneelauwine im Walliferlande

Zu Anfange Octobers kehrte einf ein el
cher Walifer von Sion zurück. Es hatte
deu Bergen fehr ftark gefchneit, und nur
der größten Mühe vermochte er fich hind
zu arbeiten, um feine in einem verborge
Winkel des Thals von Annivine gelegene H
zu erreichen. Ermattet und vor der Ge
fchaudernd, erreicht er endlich einen Fel
von welchem aus er feine Wohnung fehen k
te. — Aber wie groß ift fein Schrecken, f
Verzweiflung, da er nichts, als einen u
heuren Schneehaufen vor fich fieht? — O
Zweifel, fchließt er, ift feine Hütte ein R
einer folchen Schneelauwine geworden,

ümmert; ach! und sein Weib, nst sm
igen Sohne drinnen begraben. Er setzt sich
den Felsen, sieht noch einen Augenblick mit
m Schmerze auf das gräßliche Schauspiel
b; — doch bald steht er auf, läuft zu
m seiner Nachbarn, und beschwört diesen
beyzustehen in seiner Unternehmung; —
giebt seinen dringenden Bitten Gehör,
net sich mit Spaten, Schaufeln und Stan-
, und eilt hinab. — Mit unermüdetem
r räumen sie die Eis- und Schneehaufen
: der Walliser spricht den übrigen Muth
Hoffnung ein, und thut allein mehr als
e drey Gefährten. Die Nacht brach ein,
seine Freunde kehren nach Hause zurück;
nnermüdete Gatte aber bleibt, und arbeitet
ganze Nacht fort. Am andern Morgen
n sie vereint ihre Arbeit mit gleichem Eifer,
unveränderter Standhaftigkeit fort. Auch
r Tag geht hin, ohne den gewünschten r-
; die Arbeiter gehn wieder auseinander,
: der Walliser bleibt auch diesesmahl die
ze Nacht durch und arbeitet fort; — der
te Tag bricht endlich heran; und mit er
rter Kraft fahren sie in ihren Bemühungen
: Wer vermag die unaussprechliche Freu-

be des edlen Wallisers zu schildern, als er
erst den Schornstein seiner Hütte entdeckte?
zieht die Kette des Schiebers an, der ihn
deckt, und sieht durch den Heerd, bey
Scheine einer Lampe sein Weib, sein Ki
nebst der Ziege, an welcher das Kind sa
beysammen. Sogleich steigt der freudetrun
Ehemann hinab in seine Wohnung, findet
Weib, sein Kind, seine Heerden, kurz, a
unversehrt, und gerettet; — denn ein
der Hütte hangender Felsen hatte die Laun
zertheilt, und so hatte sich der herabrolle
Schnee an den Seiten angehäuft, und die H
te in ihrer Mitte verschont.

Ich habe dieses glückliche Paar selbst
sehen; ihre gegenseitige Zärtlichkeit hat sic
zehn Jahren um nichts vermindert; sie ha
sechs Kinder miteinander gezeugt, auf we
die Tugenden ihrer Eltern fortzuerben schein

IV.

Die mörderische Weigerung.

ine arme Frau aus Duganon in Irrland,
lche mehrere Kinder hatte, wovon sie eben
jüngste stillte, gieng, als ihre Noth aufs
hste gestiegen war, zu einem Grützhändler,
stellte der Frau desselben, da sie den Mann
ht zu Hause antraf, ihr Elend vor, — und
t sie inständigst, ihr einige Materalien zu
gen, wofür sie einiges alte Geräthe und
dere Kleinigkeiten, die sie mitgebracht hatte,
Pfand einsetzen wollte, bis sie würde be-
len können. Davon aber wollte die Kauf-
nnsfrau nichts wissen, und schlug ihr ihre
tte aus. Uebrigens hatte sie doch Mitleid mit
n Zustande der armen Frau, und als ihr
ann Abends nach Hause kam, so erzählte sie
n, was vorgefallen war, und gestand ihm,
ß sie es sehr bereue, der dringenden Noth je-
r Frau durch die Gewährung ihrer Bitte nicht

abgeholfen zu haben. Als der Mann dies hö
te, springt er sogleich auf, eilt mit einem gan
zen Maas schon zubereiteter Grütze zu der Un
glücklichen, die er der Beschreibung nach schon
kannte; aber es war zu spät; er fand sie in
ihrer Kammer auf dem Boden ausgestreck
(denn Hunger und Verzweiflung hatten si
getödtet), rings um sie herum standen di
Kinder, weinend und heulend um ihre Mutte
und in ihren Armen hielt sie noch das jüngs
Kind, welches sie säugte, und welches nu
vergebens nach Nahrung an dem kalten, ve
trockneten Busen haschte. —

Vertröste den Elenden nie mit dem ei
len Versprechen, du wollest ihm Gutes erwei
sen; sondern handle wirklich gut an ihm. Woh
thaten sind für den gefühlvollen Mensch
Schulden, die er abtragen zu müssen glaub

V.
Der Tod des Armen.
Eine Anecdote von Mercier.

In der Vorstadt St. Marcel, die vorzug
weise der Sitz des Elends genannt zu werd

dient, (wohin denn auch schlechtes Brod,
dorbenes vergiftetes Oehl gehören) raffte
dort herschendes Fleckfieber die Armen hun-
tweise weg; sie hatten nicht einmal Zeit
in das Hospital, Hotel de Dieu genannt,
eppen zu lassen; die Beichtväter kamen nicht
3 einem Hause heraus, und die letzte Oe-
ig wurde von der Dachstube bis zum unter-
1 Stockwerk gereicht. ——

Ermattet sanken den Todtengräbern die
me hinab... Da kam ein ehrwürdiger Ca-
ziner gegangen, tratt in einen Stall, wo-
1 eins von diesen unglücklichen Schlachtopfs-
1 der Seuche schmachtete: es war ein sier-
nder Greis, auf scheußlichen Lumpen hinge-
eckt. Er war allein; ein Strohbund diente
n zur Decke und zum Hauptküssen. Da war
in Geräthe, kein Stuhl; alles dieses hatte
in den ersten Tagen seiner Krankheit für
lige Tropfen Suppe verkaufen müssen. Nichts-
ug an den schwarzen nackten Mauern als
ie Axt und zwey Sägen; diese waren sein
inzer Reichthum, als er mit seinen Händen
beiten konnte; jetzt aber vermochte er sich nicht
i regen. Fasset Muth, rief ihm der Beicht-

vater zu; Gott läßt Euch heute eine große Gna
wiederfahren; denn unverzüglich werdet J
dieses Leben verlassen,. in welchem euch n
Drangsal zu Theil wurde... „Was für Dran
sie? erwiederte der Greis mit erstickter Stimm
Ihr irrt Euch: ich habe stets zufrieden gele
und mich nie über mein Schicksal beklag
Weder Haß noch Neid habe ich gekannt; san
war mein Schlaf; am Tage wurde ich v
der Arbeit müde, aber Nachts ruhte ich au
Jene Werkzeuge, die Ihr dort sehet, verschaf
ten mir Brod, welches mir dann köstlich schmec
te, und nie habe ich mich nach reichbesetzt
Tafeln gesehnt. Ich sah, daß der Reich
mehr als irgend Jemand Krankheiten unte
worfen sey; ich war arm, habe mich ab
zeither stets wohlbefunden. Wenn ich wied
gesund werden sollte, was ich aber nicht hoffe
kann, so will ich fortfahren, die Vorsehun
zu preisen, die mich bis dahin sorgfältig b
schützt hat.“ Erstaunt über diese Aeusserunge
wußte der Beichtvater gar nicht, wie er si
gegen den seltsamen Kranken benehmen sollte
er konnte das Lager desselben nicht mit seine
Art zusammenreimen. Dennoch faßte er sic
und sagte zu ihm: Mein Sohn, ist Euch glei

er Leben nicht lästig gewesen, so müßt Ihr
dem ungeachtet jetzt verlassen; denn Ihr
ßt Euch dem Rathschluß Gottes unterwer-
.... „Ja wahrhaftig! rief der Greis mit
er Stimme und unverwandtem Auge, je-
i Menschen erreicht seine Stunde; ich habe
leben gewußt, ich werde auch zu sterben
sen. Ich danke Gott, daß er mir das Leben
henkt hat, und mich jetzt durch den Tod zu
i übergehen läßt. Schon nahet der Au-
blick heran ... er ist da ... lebt wohl,
würdiger Vater.“

Sehet hier den wahren Weisen, — und
seinen Lebzeiten ward er vielleicht von man-
n Reichen verachtet, der sein Leben nicht
gebrauchen gelernt hat, und mit trostloser
gheit sich zum Sterben anschickt. (Tableau
Paris.)

VI.
Der Soldat und der Bürger.

)as Regiment von Poitou hielt in einer
adt dieser Provinz die Winterquartire. Ein

Gemeiner deſſelben, tritt einſt in eine daſ⸗
Kirche, um die Meſſe anzuhören. Man b⸗
thet ihm einen Stuhl an; er aber ſchlägt d⸗
Anerbieten aus, wirft ſich nieder, und fär⸗
ſein Gebeth an. Ein muthwilliger Bürger ⸗
Stadt, (ein bekannter Rauffer), welcher neb⸗
ihm ſtand, hält ſich über ihn auf, neckt i⸗
ſeiner Andacht, ſeiner demüthigen Stellu⸗
halber, hauptſächlich deswegen, daß er d⸗
Stuhl ausgeſchlagen. Aber, was er a⸗
thue, und ſage, nichts ſtört den Soldaten
ſeinem Gebete. Nach geendigtem Gottesdie⸗
begegnet dieſer dem Bürger in der Kirchthür
und ſagt ihm mit einem anſtändigen beſchei⸗
nen Tone: In der Kirche, mein Herr, ⸗
mir ein Stuhl unnöthig, und ich will lieb⸗
das Geld dafür dem erſten beſten Armen gebe⸗
Was? Ihr gebet Almoſen? erwiederte d⸗
unverſchämte Bürger, und eben wollte i⸗
Euch ſelbſt eins geben. Der Soldat verſe⸗
hierauf noch immer mit Gelaſſenheit, die Tru⸗
pen des Königs ſeyen nie in der Lage, ⸗
irgend jemand um Almoſen bitten zu müſſen⸗
Der unſinnige Bürger, welcher nun ſein⸗
Gegner für einen Feigen hielt, weil er ⸗
ſanft und beſcheiden war, rennt mit bloße⸗

egen auf ihn los. Blos zu seiner Verthei-
gung zieht nun der Krieger auch den seini-
n, entwaffnet den Bürger, schont übrigens
iner, und geht sogleich zum Policeyminister,
erliefert ihm den Degen, erzählt den Vor-
ll, daß der Degen seines Gegners zu Gun-
en des Armen, dem er seinethalben (des Strei-
s wegen) nichts habe reichen können, ver-
uft werde. Der Minister findet diese Idee
hr edel und vernünftig, legt dem Bürger
viel, als der Degen werth ist, zur Geldbu-
auf, läßt ihn ausserdem noch ins Gefäng-
ß bringen, — dringt darauf in den Sol-
ten, den Degen als Eigenthum zu behalten;
aber dieser sich standhaft weigerte, es annehmen, eilte der Minister, alles was ge-
hehen war, dem Obristlieutnant des Regi-
ents, Herrn von Arcelot, zu berichten.

VII.

Schöne That von sieben Soldaten bey der
Armee des Herzogs von Rohan, im
Jahre 1626 in Foix.

Als Rohan durch den Marschall Themines
zum Rückzuge sich gezwungen sah, weigert
sich sechs Soldaten, die Protestanten ware
ihrem General zu folgen; sie zogen einen e
renvollen Tod der Flucht vor, und schlossen f
in ein Haus, unweit Caelat ein.

Themines statt ihre Kühnheit zu bewu
dern, und ihrer deshalb zu schonen, befiel
dem Heere Halt zu machen, und greift dies
Posten an; er würde es für eine Schande g
halten haben, das Unternehmen, nachdem
einmal den Anfang gemacht hatte, wieder au
zugeben. Die sieben tapfern Krieger wehr
sich zwey ganzer Tage, Themines verliert 4
seiner Leute in mehreren Angriffen, die

that

; die Hungersnoth nöthiget jene endlich,
ihre Rettung zu denken. Einer von ihnen
endlich in der Dunkelheit aus, um die
iegende Gegend zu recognosciren, entdeckt
n verborgenen Fußsteig, auf dem sie ihren
iden entkommen könnten, und kehrt freu-
zurück, es seinen Gefährten zu melden.
on nähert er sich dem Hause; sein eigner
ider, der als Schildwache stand, hört ein
äusch, sieht durch die Nacht hindurch einen
nschen vor sich, hält ihn für einen Feind,
ckt auf ihn los, und zerschmettert seinen
ider den Schenkel. Der unglückliche Ver-
idete windet sich bis an den Fuß der Mauer
; nun erkennt der Bruder seinen Irrthum,
t mit Wehklagen die Luft, und schwört,
ihm zu sterben. Der Verwundete ermahnt
ie Cameraden zum Rückzuge, giebt ihnen die
ttel dazu an, und ordnet ihren Marsch.
iein, rief sein Bruder, ich bin an deinem
zlück Schuld; ich will es mit dir theilen,
i neben dir sterben, und fühle mich noch
:k genug, meinen begangenen Irrthum,
nen Tod und den meinigen, an unserr
inden zu rächen." Ein andrer Anverwand-

B

ter von ihnen schwört ebenfalls, sie nic[
verlassen; die übrigen schieden in Thränen
fließend von ihnen, versprachen auch i[
seits Rache, und gelobten, bey ihren G[
bensgenossen das Andenken an diesen i[
so seltenen Heldenmuth zu verewigen.
Tag rückt indessen heran; Themines wag[
nen neuen Angriff; die drey Belagerten [
ren sich mit unglaublicher Tapferkeit, w[
aber nach dem, was sie schon gethan hat
gar nicht auffallend war. Von tausend A[
den bedeckt, verschieden sie endlich; und [
mines, nach diesem Siege, der ihm schin[
licher war als eine erlittene Niederlage[
folgte seinen Marsch, um seine Schande d[
Thaten, die seiner würdiger waren, wi[
auszulöschen.

Der schwache Mensch fürchtet den [
der Unglückliche wünscht ihn, der Tap[
geht ihm entgegen, der Weise erwartet i[
Der Tod fürs Vaterland ist nie zu frühzei[
man sterbe ihn auch noch so jung.

◗◗◗◗◗◗◖⑧◗◗◗◗◗◗◗◗◗

VIII.
Der ehrliche Schuster.

England, sagt man, trug sich einst ein
er Auftritt zwischen einem rechtschaffenen
ster, und einem Edelmanne zu, der gerne
Parlamentsdeputirten erwählt seyn woll-
Dieser trat einst, mit demüthiger Ge-
?, in die Werkstadt des Schusters, wel-
ihn in einem rauhen Tone fragte, was
nge? Sie können mir einen kleinen Dienst
en, antwortete der Edelmann; es fehlt
ur Wahl nur eine einzige Stimme, und
rsuche Sie, mir die ihrige zu geben.
s nur das ist, erwiederte der Schuster,
er ihm einen Schemel reichte, — setzen
ich, wir wollen mit einander schwatzen,
hen, was Sie für ein Mann sind. Nicht
, Sie trinken Bier? Dort steht ein
; den wollen wir zusammen ausleeren...

B 2

Da, nehmen Sie mein Glas, trinken S
auf meine Gesundheit, ich will hernac
die ihrige trinken.... Darauf soll es mi
eben nicht ankommen, sagte der Edelman
und trank, indem er das Gesicht dabe
zog. — Ey zum Henker! Sie müssen
rauchen, denn ich rauche ja, sagte der 2
— Ich danke schön! Doch, wie Sie w
antwortete der Edelmann, indem er
Aerger verschluckte.... Hierauf zündete e
Pfeife an der seines neuen Cameraden an,
bey er sich freylich sehr ungeschickt be
Da saßen sie nun beyde, und kannengiet
nach Herzenslust. Endlich, nachdem der S
patron sich lange genug den Spaß ge
hatte, seinen Clienten auf mancherley A
demüthigen, wieß er ihm ohne weiter
Thüre, indem er zu ihm sagte: „De
genblick verlassen Sie mein Haus, und r
Sie ja nicht auf meine Stimme. Ich
mich selbst zu hoch, als daß ich für einen
stimmen könnte, der so wenig Werth i
setzt, und sich auf eine so niedrige Art
porzuheben sucht.

Wenn du ungewiß bist, ob eine
lung erlaubt ist, so unterlasse sie lieber.

IX.

[Ein seltenes Beyspiel von Ehrlichkeit.]

Parlamentspräsident in Paris wurde
Tages, als er mit einem seiner Freunde
St. Sulpice war, von einer übrigens gut
ideten Frau angesprochen, die mit ver-
atem Anstande um ein Almosen suchte.
Präsident, der in der That seine Börse
zu sich gesteckt hatte, wies sie ab, mit
Worten, daß er keine Münze bey sich habe;
Frau aber bat, ohne sich irre machen zu
, noch dringender. Der Präsident, um
los zu werden, bat seinen Freund, ihm
e Pfennige zu borgen; dieser, in der Ab-
, den Präsidenten in Verlegenheit zu setzen,
te ihm aus seiner Börse einen Louisd'or.
Präsident merkte sogleich die boshafte Ab-
seines Freundes, ließ sich aber gegen die
nichts davon merken, und sagte ihr:
adam, ich habe Ihnen schon gesagt, daß
keine Münze bey mir habe; hier wechseln

Sie mir diesen Louisd'or, und bringen
mir Münze dafür wieder.‘‘ Die Frau g
und kurz darauf kam sie wieder, und br
verschiedene Sorten Münze, einen Loui
an Werth. Der Präsident, dessen Absich(
gewesen war, die Ehrlichkeit der Frau
die Probe zu stellen, da er sah, daß das
richtig war, sagte er ihr: „Madam, ich
glauben, daß die Beschreibung, die Si
von Ihrem Elend machen, eben so wah
als Sie ehrlich sind; behalten Sie das (
Geld, ich schenke es Ihnen.‘‘ —

Derjenige, von welchem diese Anecdote
rührt, setzt hinzu, er habe sie aus dem M
des Präsidenten selbst, dessen Absicht ber
Erzählung derselben nicht war, seine G
muth und Wohlthätigkeit zu rühmen, son
nur zu beweisen, daß schon öfters die
edle Gemüther zu erniedrigenden Schr
wie das Almosenbitten, gezwungen habe

X.
Die Stimme der Gerechtigkeit.

in englisches von Nordamerika abgesegel-
Schiff landete Handelsangelegenheiten hal-
in Guinea, und sahe sich genöthigt, einen
er Wundärzte, welcher krank war, daselbst
ückzulassen. Murray, so hieß er, bewohn-
das Haus eines Schwarzen, Namens Cud-
, und sah seiner Wiederherstellung und
er günstigen Gelegenheit entgegen, um in
Vaterland zurückzukehren. Er bezeugte
em Wirthe öfters Gefühle der Erkenntlich-
, die ihm dessen Zuneigung gewannen.
t nahet ein holländisches Fahrzeug diesen
ten, um sich mit frischem Wasser zu ver-
n; die Neugier lockte einige Schwarze an
Bord des Schiffes; man ergriff sie, schließt
in Ketten, und die Menschenräuber ent-
en mit ihrer Beute. Dies war wahrhaf-
keine gerechte That; lange schon hat aber

die Gierigkeit der Europäer ihr Ohr vor
Wehklagen über ihre Treulosigkeit verschlo[
Die Anverwandten und Freunde dieser ungl
lichen Schlachtopfer gerathen außer sich [
diese Verrätherey, brechen in ein Klagege
aus, versammeln sich und schwören, sich
dem ersten Europäer, den das Schicksal
ihre Küsten treiben würde, zu rächen. [
lich bricht einer aus ihrer Mitte in freud
Entzücken aus. „Wir können sie befriedi
unsre gerechte Rache, wir können uns sätt
mit diesem verhaßten Blute, mit dem ich
ihre Ufer überschwemmt sehen möchte! Kom
meine Freunde, laßt uns zu Cudjoc ei[
dort wohnt noch ein Europäisches Ungeheu
wir wollen es vereinigt in Stücken zerrei[
Mit allgemeinem Beyfall wird dieser [
schlag angenommen, schon baden sie sich
Gedanken in dem verruchten Blute; alle
der nämlichen Wuth ergriffen stürzen auf
Hütte ihres Gefährten los; sie sind schon a
langt, die Luft erschallt von ihrem Geschrey:
fre uns Murray[aus, liefre ihn uns aus!
wir ihn tödten, daß er unsern Streichen
liege! Cudjoc hält sie bey der Thüre auf,
fragt sie ruhig: Was hat Euch dieser W[

an, daß Ihr ihn umbringen wollt? Was
uns gethan hat, rufen alle wild durch
nder aus? Weißt du den nicht, daß seine
der, die Weißen, uns unsre Anverwandte,
re Freunde geraubt haben, und sie nun
fressen? Jene Weißen, erwiederte der recht-
iffene Cudjoc, mit dem vorigen kalten Blu-
sind allerdings Bösewichter, und verdien-
, wenn sie in unsre Gewalt fielen, von un-
n Händen erwürgt zu werden. Aber der
eße, der bey mir ist, hat nicht Theil an
em Verbrechen, er hat Euch nichts gethan
d folglich dürft Ihr auch ihm kein Leid an-
un." — Aber er ist doch ein Weißer. —
ie? Ihr wäret also so grausam, einen Men-
en bloß deswegen zu tödten, weil er weiß
? Sehet Ihr denn nicht ein, daß Ihr die
recklichste Ungerechtigkeit begehen würdet,
enn Ihr Euch dieses Mordes theilhaftig mach-
t? Noch Einmahl, er hat Euch nichts ge-
an." —

Dem ungeachtet aber wollen die Rasen-
n die Thüre einbrechen; da fuhr der edle
udjoc, ohne sich aus der Fassung bringen zu
ssen, aber mit mehr Wärme, fort: "Ich
be Euch gesagt, daß dieser Weiße gut sey

ich setze jetzt hinzu, daß er mein Freund
daß mein Haus auch das seinige geworden
und daß ich bis auf den letzten Blutstro...
ihn vertheidigen werde. Mich also müßt...
zuerst tödten, ehe Ihr ihn Eurer blin...
Wuth aufopfert.... Hier ist meine Bru...
durchbohret sie! Welcher billigdenkende Me...
würde wohl fernerhin bey mir einkehren woll...
wenn ich es zugäbe, daß in meiner Wohn...
unschuldiges Blut vergossen würde?" —

Diese letzten Worte besänftigten mit...
nem Male den Zorn der Rasenden. M...
sollte glauben, ein Gott habe zu ihnen gesp...
chen, und ihre Gesinnungen umgeänd...
Verwirrt und zum Theil beschämt über...
Absicht, in der sie sich versammlet hatt...
kehren sie zurück.

Einige Tage nachher wagte sich Murr...
da er sich nun sicher glaubte, aus der Hü...
heraus. Einige Schwarze laufen auf ihn...
er erschrickt, und will fliehen — „Fürch...
nichts, sagten sie ihm, indem sie ihm...
Hand reichten, wir freuen uns sehr, daß...
Dich vor einigen Tagen nicht in unsre Gew...
bekamen; wir dürsteten nach Deinem Blut...
und hätten es bis auf den letzten Tropfen...

n laſſen. Jetzt aber würden wir es ſehr
reuen; denn Cudjoc hat uns geſagt, daß du
it ſeyeſt, obgleich du weiß biſt; und es iſt
gerecht, gute Menſchen zu tödten.

XI.
Der Räuber und der Tabuletkrämer.

in Einwohner eines deutſchen Städtchens
urde an den Bettelſtab gebracht, und da er
h von einem Haufen Kinder, die dem Hun-
ertode nahe waren, umringt ſah, entſchloß
ſich, in eine benachbarte Stadt zu gehn,
nt dort durch irgend ein Mittel ſeiner Noth
zuhelfen. In Lumpen gehüllt, und in Thrä-
en zerſließend, ſtellte er hier ſeine mitleid-
erthe Lage allen denen dar, die er im Stan-
t glaubte, ihm helfen zu können. Unglück-
cherweiſe ſtieß er nur auf harte unempfind-
che Menſchen, die ihn nicht einmahl des An-
örens würdigten; — entrüſtet darüber, geht
r in ein Gehölz, mit dem Entſchluß, den

erſten Vorübergehenden anzufallen. Das Gl
iſt ihm bald günſtig. Er hält einen Tabul
krämer an, welcher ihn dann auch ohne t
geringſten Widerſtand, einen Beutel mit
Thalern giebt. Kaum aber hat der Räut
dieſen genommen, als er von Gewiſſensbiß
gepeinigt, ſich dem Tabuletkrämer zu Füß
wirft und ihm mit Thränen die Veranlaſſu
ſeiner That vorſeßt, und ihn inſtändigſt b
tet, mit in ſeine Wohnung zu gehen, um ſ
von der Ausſage ſelbſt zu überzeugen. E
rührt hierdurch weigert der Tabuletkrämer ſi
nicht ein.n Augenblick ihm zu folgen. Er ſi
det in der verfallenen Hütte des Bauern me
rere Kinder, die faſt ganz nackt, auf Stre
lagen, und mit dem Tode rangen, und d
Mutter in der fürchterlichſten Verzweiflun;
welche noch vermehrt wurde, als ihr Man
ihr den eben geſchehenen Vorfall erzählt
Sie wirft ſich auf die Nachricht dem Tabulet
krämer zu Füßen, bittet in den bewegendſte
Ausdrücken um Schonung und Erbarmen fü
ihren Mann und ihre Kinder. Ihre Bitt
hatte den gewünſchten Erfolg. Der rechtſchaf
ſene Mann konnte dieſer rührenden Seccene nich
widerſtehen, ſeine Thränen vereinigten ſich m

ihrigen: „Nehmt, sprach er, diese 20
hlr. ich bitte Euch als Euer Freund. Wollte
ott, ich hätte so viel Vermögen, als ich
ten Willen, Euch zu helfen, habe. Ich
lage nur, daß ich Euch für die Zukunft
ner bessern Lage versichern kann. Was? ant-
rtete der Bauer, statt mich als Ihren Feind
behandeln, wollen Sie mein Beschützer
n? Nein! und wenn wir Hungers sterben
lten, ich nehme Ihr Geld nicht an.“ — Er
bt ihm mit diesen Worten den Beutel zu-
ck; aber der Tabuletkrämer dringt in ihn,
d zwingt ihn, es zu behalten. Darauf
reinigt sich die ganze Familie um den Wohl-
äter, um ihm die Hände zu küssen; — und
t hat dieser seither erzählt, daß er sich nicht
innere, je eine solche Freude und Zufrieden-
it mit sich selbst empfunden zu haben, als
m hier zu Theil wurde.

———————

XII.

Menschlichkeit eines Wilden.
Eine amerikanische Anecdote.

Während des letzten amerikanischen Kriegs
hob einst ein Haufe wilder Abenakis ein Corps
Engländer auf; die Besiegten konnten ihre
Feinden, die behender im Laufen waren als
sie, und sie mit Wuth verfolgten, nicht entkommen; sie wurden mit einer Grausamkeit
behandelt, die selbst in diesen Gegenden fast
beyspiellos war. Ein junger englischer Officier
wurde unter andern von zwey Wilden mit auf-
gehobnen Aexten verfolgt, und ohne Hoffnung
sich vor dem Tode retten zu können, dachte er
darauf, sein Leben wenigstens so theuer als
möglich zu verkaufen. In diesem Augenblick
naht sich ihm ein alter Wilder, und mit einem Bogen bewaffnet, schickt er sich eben an,
den Pfeil gegen ihn abzudrücken, als er plötzlich den Bogen sinken läßt, und sich zwischen
den jungen Officier und seine beyden Verfolger,

sich mit Ehrerbietung zurückzogen, hin-
te. Der Greis ergriff den Engländer bey
Hand, und nachdem er ihn durch Liebko-
zen beruhigt, führte er ihn in seine Hütte,
behandelte ihn mit der größten Scho-
g und Sanftmüthigkeit, weniger als seinen
aven, denn als Gesellschafter; er lehrte
die Sprache der Abenakis, und die gro-
Künste dieses Volks. So lebten beyde
zufrieden mit einander. Nur Eins beun-
igte den jungen Engländer; zuweilen hef-
nämlich der Greis sein Auge fest auf ihn,
nachdem er ihn angesehen hatte, vergoß
Thränen. Unterdessen griffen die Wilden
wiederkehrendem Frühling von neuem zu
Waffen, und zogen zu Felde. Der Greis,
her für die Kriegsstrapazen sich noch stark
ug fühlte, zog von seinem Gefangenen be-
et mit ihnen. Die Abenakis marschirten
r als 200 Stunden Weges durch die Wäl-
hindurch. Endlich langten sie auf einer
ne an, wo sie ein englisches Lager ent-
ten. Der Alte wies es dem jungen Men-
1, um seine Standhaftigkeit zu prüfen.
he: sagte er ihm, da stehen Deine Brüder,
erwarten uns zum Kampf. Hör einmal

an, ich habe Dir das Leben gerettet, ich h
Dir gelehrt, einen Kahn, Bogen und Pf
zu machen, das Thier im Walde zu erleg
die Axt zu führen, und dem Feinde sein Ha
haar zu rauben. Was warst Du, als
Dich in meine Hütte brachte? Deine Hä
waren so schwach, wie die eines Kindes;
vermochten Dich weder zu nähren noch zu
theidigen, Nacht umhüllte Deine Seele,
verdankst mir alles. Könntest Du wohl
undankbar seyn, Dich mit Deinen Brüder
vereinen, und gegen mich die Waffen zu
greifen?

Der Engländer betheurte, er wolle li
sterben, als das Blut eines Abenaki ver
ßen.

Da legte der Greis beyde Hände auf
Angesicht, verneigte sich, und nachdem
einige Zeit lang in dieser Stellung gestan
hatte, betrachtete er den jungen Englän
und sagte ihm in einem halb zärtlichen
wehmüthigen Tone: hast Du einen Vat
Ja! antwortete der junge Mann, als ich
Vaterland verließ, lebte er noch. O!
unglücklich ist er! rief der Wilde aus. W

; ich wär Vater ... Ich bin es nicht mehr;
sah meinen Sohn in der Schlacht fallen,
er neben mir focht; er starb als Mann,
Wunden bedeckt starb mein Sohn! Aber
habe seinen Tod gerochen, ich habe! ...
letzten Worte sprach er mit Nachdruck, sein
zer Körper zitterte, faſt erſtickten ihn die
ſzer, die er unterdrücken wollte. Sein
 je eilte wild umher, ohne eine Thräne zu
ließen. Nach und nach wurde er ruhiger;
ſandte ſich nach Morgen hin, wo die Sonne
aufgieng, und ſagte zum jungen Eng-
er: Siehſt Du die ſchöne Sonne, wie ſie
ell glänzt und leuchtet? betrachteſt Du ſie
 te? Ja! ſagte der Jüngling, ich ſehe ihn
te, den ſchönen Himmel. Ich aber nicht
r! rief der Wilde aus, und ein Strom
Thränen ergoß ſich aus ſeinen Augen.
en Augenblick darauf wies er dem Eng-
er einen blühenden Mandelbaum, und
te ihn: Siehſt Du den ſchönen Baum,
freuſt Du Dich darüber? Ja, antwortete
r, ich freue mich über ſeinen Anblick. Ich
: nicht mehr! erwiederte der Greis ſchnell,
fügte ſogleich hinzu: Gehe hin, eile in
E

Dein Vaterland zurück, damit Dein Va
sich noch freuen könne der aufgehenden Son
und der Blumen des Frühlings.

XIII.

Heldenmuth eines Bedienten.

In einer kleinen Provinzialstadt übte
Mahler seine Kunst; unglücklicherweise m
sich ein andrer Mahler auch daselbst nied
lassen. An diesem bekommt der erste bald
nen gefährlichen Nebenbuhler, ja man sche
dem letztern den Vorzug zu geben. Unter
dern Portraits verfertigt er auch das ei
Dame, welches dem ersten einmahl mißlu
gen war. Dieser Umstand bringt den tro
sen Mahler ausser sich, daß er den schreckli
Vorsatz faßt, sich aus dem Wege zu räum
In dieser Absicht versieht er sich mit ei
Pistol, und ist eben im Begriff, es abzudr
cken, als sein Hund, der ihn in dieser St
lung sieht, auf ihn zuläuft, und ihn an
nem Rocksaum zurückhält. Der Schuß

deß geschehen; die Kugel aber hat, stätt
m Unglücklichen die Hirnschale zu durchboh-
n, nur das linke Auge zerstört, und den
ugenknochen zerschmettert. Der Verwundete
irzt ohne Besinnung nieder, und scheint
dt zu seyn. Man forscht sogleich genauer
m Mörder des für todt gehaltenen Mannes
ich; der Verdacht fällt auf seinen Bedienten.
ieser läßt sich auch ohne allen Widerstand
s Gefängniß schleppen, und weit gefehlt,
ß er sich gerechtfertigt hätte, erklärt er viel-
ehr laut, daß er seinen Herrn getödtet habe;
nd bey dem ersten Verhör bleibt er bey seiner
ussage. Da entsteht plötzlich ein Geräusch;
n Lärmen, man hört die Worte sagen: „er
t es nicht, er ist es nicht! ich selbst hatte in
nem Anfall von Geistesabwesenheit und Ver-
weiflung den Vorsatz gefaßt, meinem Leben
n Ende zu machen." Es trat ein Mann
nein, der den Kopf verbunden hatte, und
h kaum auf den Füßen erhalten konnte. Ja!
eine Herrn, sagte er zu den Magistratsper-
nen, ich selbst bin der Schuldige; ein Ueber-
aß von Kummer hat mich zu diesem Schritt
rleitet.

C 2

Der Mahler erzählt hierauf die Vera[n]
lassung zu diesem Kummer, der ihn verzehrt[e.]
Aber, setzte er hinzu, dieser gute Mensch i[st]
ganz unschuldig; ich kann ihm nicht den g[e-]
ringsten Vorwurf machen; und wer hat i[hn]
denn angeklagt? Ich selbst, erwiederte d[er]
Bediente; man hatte mir gesagt, daß I[hr]
Leichnam als der eines Selbstmörders gemi[ß]
handelt werden sollte. Dadurch würde I[hr]
Andenken beschimpft worden seyn, und u[m]
diesem neuen Unglück vorzubeugen, entschlo[ß]
ich mich, mich für ihren Mörder auszugebe[n.]
Dies war ja der einzige Beweis meines Dien[st]
eifers, den ich Ihnen erweisen konnte. —

Der Mahler stürzt seinem Diener be[i]
diesen Worten zu Füßen, umfaßt seine Kni[e,]
benetzt sie mit seinen Thränen, alle Umstehen[-]
den vereinigen ihre Rührung mit der seinige[n,]
und der edle Diener wird mit den lebhafte[sten]
Beweisen der Erkenntlichkeit und Achtun[g]
überhäuft.

XIV.

Die beyden verirrten Kinder.

Die zwey kleinen Kinder eines Taglöhners
der Schweiz spielten einst um das Ende des
tobermonats nach vier Uhr Nachmittags im
chnee. Sie geriethen dabey in einen dichten
nklen Tannenwald, welcher ganz in der
achbarschaft ihrer Hütte seinen Anfang nahm.
a sie immer tiefer in den Wald hinein liefen,
verirrten sie sich endlich darinn, und als
e Nacht einbrach, konnten sie ihre Wohnung
cht wieder finden. Wie groß war die Be-
rzung der Aeltern, als sie ihre Kinder ver-
ißten; von allen Seiten lief man, um sie
suchen, man rief unzählige Mahle in den
ald hinein; endlich zündete man große Kien-
ckeln an, und mit Kuhglocken durchirrte man
n ganzen Wald. Erst nach dreystündigen
ngen und mühsamen Suchen, fand man die
yden unglücklichen Kleinen in einer Höhlung

von Laubwerk umgeben, einen auf dem a
dern liegend. Der ältere von beyden, ne
Jahre alt, hatte seine Jacke ausgezogen, u
sie seinem jüngern sechsjährigen Bruder u
gethan; er hatte sich über ihn hingelegt, 1
ihn zu erwärmen, und sich selbst der Gefe
ausgesetzt, in der feuchten und kalten Na
umzukommen, welches sicherlich geschehen wä
wenn ihr Vater sie nicht glücklicherweise gef
den hätte.

XV.
Die Macht des Gefühls.

Folgendes ist kein Roman, sondern e
wahre Geschichte, die ich hier so einfach
möglich vortragen will.

Ein Mann, Namens Jakob, trieb
sehr niedriges Handwerk, wenn anders irg
ein Gewerbe so genannt werden kann; er h
eine Frau und vier Kinder. Seine Ar
brachte ihm mit Mühe so viel ein, als
Unterhalte dieser unglücklichen Familie er

lich war; dennoch fühlte er sich wahrhaft
lücklich; sein Herz öffnete sich der herzlichsten
eude, wenn die Seinigen vergnügt waren,
d mit ihm sangen. Tag und Nacht widmete
seiner undankbaren Arbeit. Aber das Schick-
ist oft ein böser Genius; oft verfolgt es
besten Menschen, und schlägt ihnen die
pfindlichsten Wunden.

Ohngeachtet seiner Arbeitsamkeit, seiner
chtwachen, und seiner Standhaftigkeit,
ückte den guten Jakob doch das größte Elend;
n Weib, seine Kinder seufzten und flehten
Brod, Jakob sah ihre Noth ein, und
inte mit ihnen; er vergaß, daß er selbst
ngerte, dachte nur an das traurige Loos,
ner Familie; er flehte seine Nachbarn um
terstützung an. Die meisten von ihnen
er würdigten ihn kaum eines Anblicks.
Denn was gilt ein Unglücklicher in der Welt?)
Er bittet mit Thränen um Allmosen; man
rt ihn aber nicht, man sieht seine Thräne
cht, oder wenn auch jemand aus einer zu-
lligen vorübergehenden Anwandlung von
enschlichkeit ihm eine Gabe reichte, so war
ese doch zu gering, daß sie kaum hinreichte,
f wenige Augenblicke das Leben seiner Fa-

pille zu kristen. Voll Verzweiflung läuft
Unglückliche durch die Straßen, begegnet
vem seiner Cameraden von der nämlichen P
fession, und fast eben so arm, als er; die
wird von dem Jammer, worin er Jakob sie
gerührt, und fragt ihn nach der Ursache d
selben. ,,Ach, ich bin verloren, erwiedert
arme Mann, meine Frau und meine Kin
haben seit gestern Mittags nichts gegeff
— was fange ich an? sie sterben!... Hi
mein Freund, sagte ihm sein Camerad, t
seinem Zustande gerührt, hier hast du zr
Dreyer; das ist alles, was ich habe; w
du aber Geld verdienen, so will ich Dir
Mittel dazu angeben. — Ich will alles, a
thun, antwortete Jakob lebhaft, was n
gegen meine Ehre und gegen die Religion fr
tet. Wohlan, fuhr jener fort, gehe da t
da hin, zu dem und dem Manne, welcher
im Aderlassen üben will, und dafür bezal
Willst du dich nun entschließen, dir eine A
schlagen zu lassen, so kannst du dir auf d
Art was verdienen.‘‘

Jacob eilte zu dem genannten Mai
man läßt ihm am Arme zu Ader, und er w
dafür bezahlt. Er hört hier das nämli

einem dritten sagen; geht auch dahin,
läßt sich an dem andern Arme die Ader
agen. Vor Freuden außer sich kauft nun
er achtungs- und beklagungswerthe Mensch
das gelößte Geld Brod, eilt damit nach
use, und theilt es unter seine Frau und
re Kinder. Doch bald sehen diese, daß der
ter blaß wird, muß sich niedersetzen, und
Blut strömt ihm an beyden Armen her-
ter. Himmel! Was ist Euch? rufen die-
aus, Ihr habt Euch ja zur Ader gelassen!
, meine guten Kinder, sprach er zu ihnen
t einem tiefen Seufzer, und indem er Weib
d. Kinder an sich drückte: es geschah, um
ich Brod zu verschaffen. — Die Unglückli-
n zerflossen nun in Thränen und umarmten
wechselseitig in sprachloser Rührung. —
elch' ein Schauspiel war dies? —

Und Ihr, meine guten Kinder, prägt
ich diese Geschichte tief in Eure Herzen ein;
nießet nie des Wohlstandes und andrer
lücksgüter, ohne daran zu denken, wie
le tausend Dürftige im Verborgenen schmach-
n, denen vielleicht ein geringer Antheil
res Ueberflußes Erquickung und Labung
währen würde. Laßt auf diese Weise gleich,

ſſm den Armen Theil an Eurem Glücke
men, und Ihr werdet dadurch Eure (
Zufriedenheit und Heiterkeit verdoppeln.
allen Dingen aber verachtet und flieht nie(
Menſchen, bloß ſeiner Dürftigkeit wegen;
denkt, wie zufällig es ſey, daß Euch ge
die Glücksgüter zu Theil wurden, die j
entbehren muß. Nie darf ein Elender,
Jacob, bey Euch vorübergehen, ohne
Eures Mitleids und Eurer thätigen Hülf
erfreuen.

XVI.

Rührender Vorfall, der ſich in Lyon
zugetragen hat.

Herr Proſt de Royer erwähnt mit vi
Rührung einen Auftritt, wovon er Aug
zeuge war, und wobey er ſelbſt, als V
ſteher der Charite, eines Hoſpitals in Ly
eine Hauptrolle ſpielte.

Ein Landmann nämlich hatte ein Fi
lingskind zu ſich in Koſt und Pflege gen

und nachdem er es bis zum siebenten
e aufgezogen, wieder abgegeben. Kurz
if aber waren ihm seine drey eignen Kin-
gestorben. Er kommt also nebst seinen
barn zu Herrn de Royer ins Hospital:
tinen Sohn! meinen armen Peter! rief er
lich und mit flehender Stimme aus, ge-
Sie mir ihn wieder! Ach! so lange er bey
war, hat uns der Himmel gesegnet; seit
ihn von uns genommen haben, habe ich
meine Kinder verloren, und das Wetter
meinen Acker verwüstet. Wir sind allein,
und mein armes Weib; was soll aus uns
den? Geben sie uns, ich flehe darum, un-
Peter wieder; er soll unser Sohn seyn,
was wir haben, soll sein werden.

Man holte den Knaben herein, dieser
t weinend seinen Pflegeältern um den Hals,
ihn durch Zureden beruhigen, und zu ihm
en: „Weine nicht, Du sollst jetzt mit uns
en, und nie wollen wir Dich wieder ver-
en. Sie schenken ihm alles ihr Hab und
t, bloß mit den Worten: Alles dies soll
in werden! (denn mehr erlaubte ihre Rüh-
ng ihnen nicht zu sagen.) Zu gleicher Zeit
hren sie, gleich als ob ihnen jemand diesen

Schatz rauben wollte, triumphirend ihren ＿
ling mit sich fort. — Edle gefühlvolle Se＿
Väter und Mütter! so schließt Herr R＿
nur schwach und trübe ist meine Darstel＿
dieser Scene; aber noch tönt mir der Ar＿
in den Ohren: Wir sind allein... Wa＿
aus uns werden?... Er soll unser Sohn sey＿
Dein soll alles seyn, was wir haben....

XVII.

Anecdote, aus einer Reisebeschreibun＿ gezogen.

Wie rührend und interessant ist folg＿
Geschichte! Sie dient zum Beweise, wie
es Unglückliche in Städten gebe, wo so
Menschen in Ueberfluß schwimmen, und
die wohlthätigsten menschenfreundlichsten
müther nicht allen Leidenden helfen können

Ich bemerkte einst, erzählt Herr Ver＿
daß einige Schritte seitwärts von meiner ＿
ße, sich ein Haufen Menschen um einen
glücklichen sammelte, der an einem Eck＿

hnmacht gesunken war; die Träge auf
n Rücken zeigte sein Gewerb an. Das
ine Volk gaffte ihn an, und blieb stehen;
dies thaten die Leute von Stande, doch
stehen zu bleiben. Genug niemand legte
iche Hand an ihn. Eben in dem Au-
icke, als ich seiner ansichtig wurde, kam
anz hinfälliger alter Mann gegangen, in
zerlumpten Ueberrock gehüllt, mit eini-
Stauden Sallat unter dem Arme, und
halbzerbrochenen Flaschen mit Oehl und
in den Händen. Er trat zu dem Ohn=
tigen, bückte sich, an die Mauer gestützt,
m herab, setzte sich neben ihm nieder, goß
seinen Essig in die hohle Hand, und hielt
dem Kranken vor die Nase. Der Un-
liche schlug die Augen auf; da ergriff der
s seine Hand, und fragte ihn in dem mit-
gsten Tone, was ihm fehle. Wäre das
ßere dieses ehrwürdigen Greises nicht so
gewesen, so hätte ich ihm die Sorge für
so eben ins Leben zurückgekehrten Mann
n übertragen; aber so schien keiner dem
rn an Armuth was nachzugeben. Ich
also aus meinem Wagen, drang durch
Haufen von Umstehenden, die jetzt den

Greis eben so, ohne ihn zu bewundern
gafften, wie kurz vorher den Ohnmächt
ohne ihm zu helfen. — Nun wahrlich,
man mir zu, Sie sind nicht gescheit,
zu inkommodiren. Sehen Sie denn
daß der Kerl betrunken ist? — Was
dem dies zur Sache, versetzte ich, leid
darum weniger? Ihr thätet besser, wen
jenen Greis nachahmtet. — So? erwie
man, einen ähnlichen Trunkenbold, dem
gen das nämliche zustoßen kann? — Und
dies nun auch, so wird man ihn morge
dauern müssen, so wie er heute Bewunde
verdient. Während der Zeit, da ich
umhin konnte, mit Unwillen auf den Schw
herabzusehen, der mir meine Theilnahme
dachte, hatte ich dem Kranken den Puls
fühlt, und entdeckte, daß Erschöpfung
Mangel an Nahrung die Ursache der Ohnn
war. Kaum hatte ich dies angezeigt,
der hartherzige Schwätzer mit Hohngelä
ausgezischt, und verjagt wurde. — E
wahr, ich stieg aus der Kutsche heraus,
ich gleich einen Bedienten hinter mir h
Wie strafbar sind die Reichen, die sich
fältig dem Anblick des Elends entziehn!

auch die Bedürfnisse ihres Aufwands
nicht erlauben, mitleidig und wohlthä-
zu seyn, so müßten sie wenigstens des
piels wegen Mitleiden äußern; für so
viele Tausende von Menschen, die,
chinen gleich, stets zu ihren Handlungen
rn Anstoßes bedürfen. — Ein gutes Glas
n, das ich dem Patienten besorgte, setzte
in den Stand; in das Wirthshaus zu
n, wo ich ihn sowohl als den ehrwürdigen
is reichlich mit Speisen versehen ließ. —
t! wie wenig bedarf es, um .... und
dieses Wenige giebt der Reiche nicht! —
er Unglückliche war ein Lastträger, hatte
kranke Frau, und mehrere ganz kleine
der; seit zwey Tagen hatte er keine Arbei
abt, — Das Volk überhäufte mich mi
genswünschen; und doch hatte es kurz vor-
den Alten, der gewiß mehr Dank als ich
ient, fühllos angesehen? Was hätte ich
l geben können, das so viel Werth hätt's
sein Glas Essig?

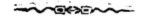

XVIII.

Edle Billigkeit einer armen alten Frau

Jn einer kleinen Stadt Sachsens, wo es (
te ist, daß die Aeltesten der Gemeine zu e
Hauptcollecte für die Armen jährlich von ſ
ſe zu Hauſe gehn, und zu dem Behuf
ſammlen, — kamen dieſe unter andern zu
ner alten Frau, um ihren Namen mit u
die Zahl der Unglücklichen aufzunehmen,
zu jener öffentlichen Unterſtützung ein R
hatten. Sie ſaß eben an ihrem Spinnrad
einer kleinen dunkeln Kammer, deren k
Wände hinlänglich von der Armuth der ſ
wohnerin zeugten. Als ſie die Urſache des
ſuchs der beyden Collecteurs erfährt, geht
ohne ein Wort zu ſagen heraus, und kom
gleich darauf mit einer Münze in der H
zurück. „Hier, ſagt ſie, habe ich einen G
ſchen geborgt, den ich werde wieder bezah
können, ſobald ich meinen Garn fertig geſp

habe. Es giebt dürftigere Leute, als ich
nehmen Sie diese Kleinigkeit als einen
n Beytrag an; so lange ich noch ein Stück
verdienen kann, so lange ich noch soviel
e habe, um Wasser aus des Nachbars
nen schöpfen zu können, werde ich es
zugeben, daß mein Name unter der Liste
ülfsbedürftigen stehe; man soll mir nicht
agen, daß ich dem Schwachen und Kran-
einen Unterhalt entwende."

❀❀❀❀❀❀❀❀❀❀

XIX.
Mutterliebe.

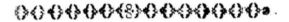

ey einer nächtlichen Feuersbrunst, die in
Dorfe, Namens Garenne, zu dem Kirch-
Plessis-Praslin gehörig, ausbrach, erwachte
ein Weib von 26 Jahren, das kaum von ei-
sehr schweren Wochenbette genesen, da sie
schon von den Flammen umringt war. In
schrecklichen Verwirrung denkt sie nur an
fünfjährigen Sohn, der in einer benach-

D

barten Kammer schlief; — diesen ihren Sch.
ihren einzigen Schatz will sie retten, sie stü
in die Kammer, öffnet die Thüre, der heft
Sturmwind versperrt ihr den Eingang, sie a
läßt sich durch nichts aufhalten, flieht ü
den Einsturz drohender Fußboden, über brenne
Balken weg, sucht ihr Kind, findet es, :
drückt es heftig wider ihre Brust, und dri
abermals durch das sie umgebende Feuer
durch. Die andern Leute arbeiteten, um
Habseeligkeiten noch zu erretten; sie aber
mitten durch sie, ohne sie zu sehen, und
hören; sie sieht, sie fühlt jetzt nichts, als
ren Sohn, — und, Hand und Auge
diese theure Last geheftet, läuft sie, ohne
wissen, wo sie ist, bis mitten aufs Feld,
stürzt dort ohnmächtig, immer ihren Sohn
den Armen haltend, zu Boden. Hier f
man sie, und brachte Mutter und Sohn
Plessis-Praslin, wo sie beyde in wenigen
genblicken ihren Geist aufgaben.

XX.

Der edelmüthige Bauer.

1 angesehener reicher Privatmann - fährt
in der Absicht aufs Land, um einen
1, welcher ein Unterpfand enthielt, das
rne einem zuverlässigen und rechtschaffenen
ne anvertrauen möchte, einem dasigen
ter zu übergeben. Eine Stunde ohnge-
von des Pachters Wohnung, sieht er
1 Bauer auf dem Felde arbeiten. Er ruft
zu sich, trägt ihm auf, diesen Korb zu
bewußten Pachter hinzutragen, und giebt
zugleich 12 Livers für seine Mühe. Der
er geht, spürt aber unterwegs, daß sich
Korbe etwas bewege; seine Verwunderung
t, als er drinnen schreyen hört. Er deckt
Korb auf, und sieht ein kleines Kind da-
Als er beym Pachter anlangt, erzählt
iesem den Vorfall; der Pachter aber und

D 2

seine Frau weigern sich, den Korb und
Kind anzunehmen, so sehr ihnen auch
gute Bauer das Unrecht, das sie thäten,
dem sie einem so hülflosen Geschöpf die
rung und Pflege verweigerten, vorstellen n
te. Endlich setzt er hinzu: Nun gut! ich
es wieder mit mir nehmen, meine Frau
gerade eins unsrer Kinder, ich will sie bi
auch für dieses Sorge zu tragen: und ic
be das Zutrauen zu Gott, daß er uns se
werde. Er eilt also mit dem Korbe nach H
theilt der Frau sein edelmüthiges Vorh
mit, und beredet sie zu diesem guten W
Man öffnet den Korb, und findet dari
schönste feinste Kinderwäsche, eine Geld
und ein Billet folgenden Inhalts:

„Traget Sorge für dieses Kind.
werdet in diesem Korbe eine Börse mit
Louisd'ors finden; davon bestreitet die
nothwendigsten Bedürfnisse für den Unte
desselben. Man wird Euch von Zeit zu
wieder mit Gelde versehen, und am Ende
Ihr reichlich für die gehabte Mühe be
werden.“

Der gute Bauersmann dankte Gott
lich, daß er sein Vorhaben gesegnet

en ganzen Dorfe erfuhr man bald die merk=
würdige Begebenheit; auch der Pachter, der
sich geweigert hatte, den Korb anzunehmen,
hörte davon. Nun gereute es ihn, und er
glaubte ein Recht zu haben, das Kind zurück=
zufordern. Der Bauer widersetzte sich aber
dieser Forderung, und stellte ihm vor, daß
bloßer niedriger Eigennutz ihn dazu bewege,
nicht aber Mitleid; denn sonst hätte er es ja
damals, als er es ihm brachte, angenommen.
Der Pachter fängt indeß einen Proceß mit
dem Landmann an, welchen letzterer, jedoch
mit großen Unkosten gewinnt. Da der reiche
Privatmann von dem ganzen Vorfall unter=
richtet wurde, (denn das Gerücht verbreitete
sich bis in die Stadt) so schickte er dem edeln
Landmann eine beträchtliche Summe Geldes,
mit dem Versprechen einer ansehnlichen Be=
lohnung nach geendigter Erziehung des Kin=
des. —

Der Neid ist gewiß eine der schimpflich=
sten Regungen des menschlichen Gemüths, das
Verbrechen folgt ihm stets auf dem Fuße nach,
es ist eine unheilbare Krankheit der Seele,
der schändlichsten unmenschlichsten Thaten ist

der Neidische fähig; er ist gieriger nach d
Verderben anderer, als der Dieb, selbst
der Räuber und Mörder.

XXI.
Das kühne Geständniß.

In einer kleinen italiänischen Stadt ger
then mehrere Schustergesellen, nachdem
vorher wacker gezecht hatten, in Handgem
ge unter einander, und einer der verwegens
von ihnen bringt seinem Cameraden in
Hitze des Streits einen Stich mit einem M
fer bey, und läuft davon. Beym Herai
treten aus der Schenke sieht er einen and
seiner Freunde, der entweder klüger oder vi
leicht noch betrunkener war, als die übrig
an einem Baume eingeschlafen. Neben die
wirft er das blutige Messer hin, und ma
sich aus dem Staube. Der arme Schlä
wird bald von der Wache erweckt, welche
Policey zur Aufsuchung des Mörders aus

ckt hatte. Das Messer zeugt gegen ihn.
wird ergriffen, vor den Richter geführt,
weil er bey der Untersuchung nichts für
e Unschuld anführen konnte, zum Tod
urtheilt. Man schreitet zur Execution;
cklicherweise für diesen Unschuldigen befindet
der wahre Mörder während derselben auch
dem Richtplatze. Sein Gewissen erwacht,
dringt durch die versammelte Menge, klagt
als den wirklichen Verbrecher an, und er-
t den Verurtheilten für unschuldig. —

Ob dem Thäter nach diesem offenherzigen
ständnisse das Leben geschenkt worden sey,
man nicht erfahren können.

XXII.

chreiben des Herrn von Tourney an die
Herausgeber des Journals von Paris.

—————✦—————

Im Jahre 1784. den 2. April gieng der Cã-
nier Denis Couturier, vom Artillerie-Re-
mente Toul, der einen benachbarten Jahr-
arkt besuchen wollte, durch den Wald bey

Marcy in Bourgogne, und hört da in ei[n]
ziemlichen Entfernung von sich einen Flint[en]
schuß, welchem unmittelbar ein Klagegeschr[ey]
und Gestöhne folgte. Der brave Canoni[er]
der Gefahr trotzend, der er sich dadurch a[us]
setzte, eilt, ohne ein andres Gewehr zu h[a]
ben, als seinen Säbel, nach dem Orte hi[n]
wo das Geschrey herkam. Hier sieht er ein[en]
Räuber, welcher eben einem armen Kau[f]
mann, den er schon mit seiner Flinte getr[of]
fen hatte, noch den Rest geben wollte, als [er]
aber eine Uniform erblickt, in das nahe dic[ke]
Gebüsch entflieht. Der Canonier eilt ihm na[ch]
ergreift ihn, reißt ihm die Flinte aus [der]
Hand, schleppt ihn zurück zu den Füßen [des]
verwundeten Kaufmanns, läßt diesem die U[hr]
und das geraubte Geld von dem Räuber wi[e]
der ausliefern, und darauf giebt er dem Rä[u]
ber einen tüchtigen Säbelhieb über das Gesi[cht]
mit den Worten: „Wart, Bösewicht! I[ns]
Zuchthaus wollte ich dich schleppen, wenn i[ch]
jetzt nicht dem Unglücklichen beystehen müßt[e]
aber durch diesen Hieb habe ich dich gezeichn[et]
daß man dich kennen wird, du magst sey[n]
wo du willst." Endlich läßt er ihn laufe[n]
und, nachdem er, den Kaufmann in das näc[hste]

Dorf gebracht hatte, geht er nun auf deñ
rmarkt und meldet der dortigen Policey den
zen Vorfall. Es werden sogleich Leute in
Dorf, wo der Kaufmann lag, geschickt;
die Aussage des Kaufmanns stimmt mit
des Canoniers überein. Der Verdacht fällt
einen übelberüchtigten Einwohner eines
chbarten Dorfs, der schon ähnlicher Ver-
sen sich schuldig gemacht hatte; man stellt
nere Untersuchung an, findet diesen in der
im Gesichte durch einen Säbelhieb ver-
det; er wird eingezogen, dem Kaufmann
dem Soldaten als den Klägern vorgestellt,
denen er sogleich erkannt wird. Der Be-
wurde von der dasigen Obrigkeit an das
ament von Dijon gesandt, welches dem
recher die Todesstrafe zuerkannte.

Der Marschall von Segur, der diese
e That erfuhr, verschaffte dem Canonier
Belohnung vom Könige, und befahl dem
sten des Regiments in Metz, sie dem edel-
igen Krieger im Angesicht des ganzen
ments, mit dem verdienten Lobe seines
hs und seiner menschenfreundlichen Ge-
ng, einzuhändigen.

XXIII.

Rede eines Vaters an seine Kinder über
Glück eines tugendhaften und das Unglück eines lasterhaften Wandels.

Meine geliebten Kinder!

Ein Mensch, der das Unglück gehabt
einen wichtigen Fehltritt zu begehen,
unaufhörlich von den Vorwürfen, die
sein eignes Gewissen macht, gepeinigt,
wenn er auch bloß und allein diesen Gewiss-
bissen überlassen bliebe, selbst frey von
Furcht, ergriffen und durch bürgerliche G...
gestraft zu werden, so wäre er doch un...
sprechlich unglücklich. Mag der Verbr...
sich immer rühmen, er habe sich unemp...
lich gemacht gegen die Stimme des Gewiss...
— selbst dr größte Bösewicht muß doch ...
stehen, daß er es nicht weiter bringen f...
als dahin, sich zu betäuben. Und wie sch...
lich ist der Zustand, wenn zu dieser in...
Qual sich beständig die Furcht hingesellt,
griffen, der Tourtur überliefert, zum
verurtheilt zu werden? — Keine Hoffn...
keine Stütze, keinen Trost, kein Mitleid a...
sich zu finden, in seinen Mitmenschen nur
gerechten Feinde zu erblicken, die im N...
der Gerechtigkeit laut auf die Bestrafung

...els dringen. Alle Güter der Erde, alle
...ätze des ganzen Weltalls, vermögen sie
...t aufzuwiegen die unaufhörliche Pein und
...he eines solchen Unglücklichen, der, wie
...zweyter Cain, mit dem Brandmahl der
...ande auf der Stirne gezeichnet, nirgends
...e findet, der, wenn der Schlaf auch seine
...der überwältigt, von den schreckhaftesten
...umen geängstigt wird, dem seine bestän-
...aufrührerische Einbildungskraft nichts als
...er von Executionen und Richtplätzen vor-
..., und der bey seinem Erwachen der furcht-
...n nur zu gewissen Erfüllung seiner Träume
...egen sieht, — eines solchen Unglücklichen,
...ie einen Schritt thut, ohne zu erzittern,
...sich niemanden anzuvertrauen wagt, dem
...Anblick jedes menschlichen Gesichts bleiches
...recken einjagt, und der nun endlich, ver-
...felnd und gegen sich selbst wüthend, auf-
..., auf sich selbst zu achten, und Gefäng-
..., Tortur und Tod, der Sklaverey, in
...her ihn seine Gewissensbisse erhalten, vor-
...t ... Dies ist also das Schicksal derer,
...he, durch ihre Leidenschaften und Begier-
...verblendet, auf der Bahn des Lasters ihre
...ckseligkeit suchen.

...Jetzt, meine Kinder, denkt Euch von
...ganzen eben beschriebenen Zustande das
...entheil, um Euch einen Begriff zu ma-
..., von dem Glücke, das dem tugendhaf-
...Menschen zu Theil wird. Es ist die voll-
...renste, friedlichste Ruhe, die in seiner

Seele herscht. In Frieden schläft er ein,
zum Frieden erwacht er; heiter ist seine Sti
freundlich weilt sein Blick auf allem, was
umgiebt; — in seinen Mitbürgern sieht
nur seine Brüder, die er innig liebt,
von denen er wieder geliebt und geehrt wi
alle vereinigen sich, ihn glücklich zu mach
die Gesetze, wie strenge sie auch seyn mög
erschrecken ihn nicht, sie begründen, befest
vielmehr seine Ruhe. Ist er gleich arm,
genießt er doch mit Freude und Zufrieden
dessen, was ihm zu Theil wird. Stößt
auch etwas Widriges zu, Krankheit,
sonst etwas ungünstiges; so hat er in sei
eigenen Bewußtseyn einen wahren getr
Freund, der ihn tröstet, und aufrichtet;
er liebt das Leben, welches dem Rechtschaff
immer werth und theuer ist, er ist nicht t
los bey Unglücksfällen, die er nicht abän
kann." Ihr seht also, meine Kinder,
alle Glückseligkeit des Menschen hienieden
dem innern Frieden seines Gewissens, d
untrüglichen Richters beruht. Mit di
innern Frieden genießt, mit ihm erträgt
alles, ohne ihn genießt, und erträgt
nichts. Sonach hat der Mensch nur
Hauptgeschäft, nur Ein Ziel, wonach er
ben muß, sich nämlich zu befreunden mit
Stimme seines Gewissens, ihr willig zu
horchen, und ihren Beyfall über alles zu s

XXIV.

danken eines Predigers, bey Betrachtung
Ruhe und Heiterkeit, die über dem Gesichte eines eben verschiedenen tugendhaften Mannes schwebte.

dler, vortrefflicher Mann, der Du recht
wahrhaft verdientest, unsterblich zu seyn!
ie schön war dein Ende, wie schön ist der helle
rahlenglanz, der Dich umgiebt!

O! Ihr alle, die ihr den Guten gekannt habt,
mmt alle her, um Euch Belehrung und Trost zu
len! Lernet hier, wie man leben und wie man
rben soll! Was für ein rührendes Schauspiel
bt der Tugendhafte in seiner Verklärung!
etet mit Ehrfurcht an das Bette, wo er ruht;
r glaubt, es sey ein Sterbebett? Nein! es ist
Triumpfbett. Sehet seine Glorie, seine Vol-
dung! Das Gemach, in welches sich ein recht-
affner Mann zurückzieht, um dort sein Leben zu
schließen, ist ein Heiligthum, dessen Thüre ihm
n Himmel öffnet. Hier leuchtet die Fackel der
ahrheit in ihrem vollen Glanze; in der Todes-
unde erscheint die Tugend in ihrer ganzen Maje-
ät! Was für helle Strahlen von Freude zeigten
h mitten in dem Kampfe der hinsterbenden Na-
r! Welche Ruhe! Welcher Friede! Ist das ein
ensch, das schwache, sterbliche Wesen? Nein!
hat die Schranken der Endlichkeit schon durch-

brachen, der Ewige reicht ihm die Hand, u
leiht ihm seine Glorie. Der entscheidende Auge
blick kommt; der Tugendhafte, groß in seine
Untergange, widerstrebt nicht dem Geschicke,
giebt sie hin, seine erhabene Seele! Betrach
ihn näher, wie er so ruhig, so heiter, in stil
Größe, noch über die Schatten des Todes se
glorreiches Haupt erhebt! Auf seinem Angesic
mahlt sich der Friede seiner Seele, auf seiner
hohen Stirn glänzt beseeligende Hoffnung;
Vernichtung selbst schmückt ihn, verleiht i
neuen Glanz, und trägt ihn unsterblich zu d
Throne des Ewigen.

Und Ihr alle, die Ihr dieses rührend
Schauspiels genießt! Glaubt an die Tugen
Glaubt an einen Gott, der Tugend verleih
und sie vergeltet!

XXV.

Gebeth eines Weisen.

Allmächtiger Beherrscher des Weltalls! W
sen aller Wesen! Sey mir gnädig! Wirf ei
Strahl des Erbarmens auf mich! Sieh m
Herz, es ist rein von Verbrechen: Alles m

ertrauen stelle ich in Deine unermeßliche
nade, und bete an deine Unendlichkeit, deine
llmacht, deine Ewigkeit! Ich erwarte ohne
rcht den Augenblick, der mich von den
dischen Banden loßreißt; Befiehl Du, wenn
mein Leben beschließen soll, und ich bin
reit, vor den Stufen deines Throns zu er-
einen, um des Looßes theilhaftig zu werden,
s du mir bey meiner Geburt verheißen hast,
d dessen ich durch Rechtschaffenheit würdig
seyn mich bestreben will!

Beschluß.

Wenn wir denn also zufrieden und glücklich unser Leben genießen, wenn wir dem Tode einst
hig und vorwurfsfrey entgegen sehen wollen,
muß folgendes unser Hauptbestreben und unsre
aurtgesinnung seyn: Zärtlichkeit, Gehorsam
d Ehrerbiethigkeit gegen unsre Aeltern, —
Bohlwollen und Liebe gegen unsern Nächsten,
— Unterwürfigkeit unter die Gesetze, und
nter die Obrigkeit, die uns schützt, — Ehrfurcht

für die Religion und den Glauben, zu dem wir u
bekennen, — Sittsamkeit, strenge Rechtschaff
heit in unserm ganzen Wandel, Weisheit und M
ßigkeit in unsern Vergnügungen, — Liebe
Ordnung und zur Wahrheit. — Wohl dem Me
schen, der auf diesem Wege sich wahre daue
de Glückseligkeit zu erlangen strebt.

Campe's
itten- und Lebensregeln

für

Knaben und Mädchen.

Frankfurt und Leipzig.

1 8 0 1.

I.

enfchliche Klugheit, die auf fich felbft vertraut,
illes nach ihrem Eigendünkel fchlichten und rich=
vill, ift eine fchlechte Klugheit. Sie beraubt
der Leitung und des Rathes kluger Freunde,
es geht ihr, wie einem Wandersmann, der aus
gel eines Wegweifers den rechten Weg verfehlet,
fich jemehr verirrt, je weiter er fortgeht.

Gänge des Mannes werden von dem Herrn ge=
richtet; wer ift aber unter den Menfchen, der
feinen Weg verftehen kann? Prov. 20. 24.

n wenn fchon jemand unter den Menfchenkindern
vollkommen wäre, fo wird er doch für nichts
geachtet, wenn deine Weisheit, o Herr, nicht
bey ihm feyn wird. Sap. 9. 6.

II.

Die Weisheit kömmt von Gott, fo wie alles
: von Gott kömmt. Weife feyn heißt gut feyn:
r wird Weisheit nie bey den Böfen wohnen.
sheit allein macht glücklich daher wird und kann
Böfe nie glücklich werden.

A 2

Der

Der Herr giebt Weisheit, und aus seinem W
    kömmt Fürsichtigkeit und Erkenntniß. Prov.

In einer boshaften Seele wird die Weisheit n
    eingehen, und wird nicht wohnen in einem L
    der den Sünden unterworfen ist. Sap. 1. 4

III.

Lasse dich von deinen Vorgesetzten auch n
zur kleinsten Ungerechtigkeit verleiten; denn du
kaufest sonst deine Freyheit, und wirst, sobald sie n
ten, auch größere begehen müssen — und fallen
dann früh oder spät, so werden sie dich mit in
Abgrund hinab ziehen.

Den Gottlosen wird seine Ungerechtigkeit fangen,
    er wird mit den Stricken seiner Sünden geb
    den. Prov. 5. 22.

IV.

Ungerechtigkeiten und Untreu trift seinen e
nen Herrn. Sey daher gerecht und redlich in
nem Betragen, und es werden dich selbst deine F
de hoch schätzen müssen. List und Betrug aber kön
an den Tag, und wenn dich nichts verräth,
wird dein eigenes Thun und Lassen, dein eige
Gesicht an dir zum Verräther werden, und dir
verdiente Verachtung zuziehen.

Die Ungerechten werden gefangen in ihren listi
    Anschlägen. Prov. 11. 6.

eine Grube gräbt, der wird selbst hineinfallen ; Und wer seinem Nächsten einen Stein setzt, wird sich selbst daran stoßen, und wer einem andern einen Strik legt, wird selbst darin verderben. Eccles. 27. 29.

V.

Sey fleißig und arbeite; denn die Trägheit ͜afet sich selbst.   Wahre Weisheit erlaubt uns, ͜Glücksgüter zu erhalten und zu vermehren. Be= ͜ dich aber erlaubter Mittel dazu; denn unrecht ͜rbenes Gut wird dein Gewissen beschweren, und ͜essen Genuß verbittern.

͜heit mit Reichthum ist besser und nützet mehr. Eccles. 7. 12.

͜lang wirst du schlaffen, du Fauler; die Armuth wird dich überraschen wie ein reisender Fremde, und die Dürftigkeit wie einer in vollem Har= nisch. Prov. 6. 11.

͜schnell zusammengerafte Habschaft, und das ͜haus der Gottlosen wird vermindert und aus= getilgt werden. Prov. 14. 11.

VI.

Wahre Ehre besteht in Erhaltung des guten ͜ens, und im Beyfall des Weisen. Diesen ge= ͜st du, wenn du dich ebenfalls der Weisheit be= ͜st, das heißt : wenn du deinen Verstand auf= ͜ren und dein Herz zu bessern suchst. Nur der Gecke ringt nach dem Lobspruch der Thoren.

Ein

Ein guter Name ist besser denn große Reichth[…]
 Prov. 22. 1.

Eifre nicht darüber, wenn ein Sünder Ehr[…]
 Reichthümer hat. Ecclef. 9. 16.

VII.

 Zeige, daß du Talente und Verstand h[…]
aber prale nicht damit, und verachte andere
die weniger von der Natur damit begabt w[…]
Bescheidenheit und Demuth wird deinen Verdi[…]
erst die Krone aufsetzen. So wende auch
Kenntnisse nicht zum Bösen an ; denn ein [?]
von großem Verstand und bösem Herzen i[…]
Scheusal der Natur.

Verbirg deine Weisheit nicht, wenn ihre Sch[…]
 hervor soll. Ecclef. 4. 28.

Verborgene Weisheit und ein Schatz, den man
 sieht, was nutzen sie beyde. Eccles. 20.

Uebernimm dich nicht wegen deiner Weisheit
 gieb selbe nicht unzeitig hervor. Eccles. [?]

VIII.

 Die Weisheit erlaubt dir die Freuden d[…]
bens zu genießen ; sie empfiehlt dir aber M[…]
keit, und vernünftige Auswahl. Ihr Genu[…]
dir zur Erholung dienen. Ausschweifungen
unordentliche Begierden entkräften, und mache
fähig zu fernerm Genuß.

sehe dieß für gut an, daß einer esse und trinke.
und fröhlich sey von seiner Arbeit. Ecclef. 5. 17,

guten Tag genieſſe des Guten. Ecclef. 7. 15.

IX.

Mache dir die Güter der Erde zu Nutzen;
ꞩde sie aber zum Guten an. Sey auch mitlei-
und freygebig; denn Andern Gutes thun, iſt
größte Wolluſt; der Geizhals aber beſtrafet ſich
ſt; denn der Geiz ſtumpfet das Herz ab, und
ꞩllet es mit Unruh und Sorgen.

ꞩn Sohn! wenn du etwas haſt, so thu dir ſelbſt
gut: thue deinem Freund Gutes vor dem Tod,
und reiche dem Armen die Hand, und gieb nach
deinem Vermögen. Ecclef. 14. 11. 13.

iſt ein Mann, dem Gott Reichthümer, Güter
und Ehren gegeben hat, und seiner Seele man-
gelt nichts von allem, was er begehrt, und
Gott giebt ihm keine Macht davon zu essen;
sondern ein auswärtiger Menſch wirds auf-
freſſen; das iſt Eitelkeit und ein großes Elend.
Ecclef. 6. 2.

X.

Hüte dich, deiner Ehre einen Schandfleck an-
ꞩngen. Die Menſchen ſind sehr streng, wenn
andere beurtheilen, und wenn du gleich durch
ꞩend gute Handlungen die Scharte auszuwetzen
ꞩeſt, so werden ſie dir doch nicht leicht deinen
ꞩn Fehltritt vergeben.

Habt

Hab Acht, daß du vielleicht nicht fallest, und d
Seele in Schand und Unehr bringest. Ecc
I. 38.

XI.

Auch die Gottlosen schätzen die Tugend he
das Laster aber wird allgemein verabscheuet; d
selbst die Lasterhaften können das Laster nur
sich selber vertragen. — So wird der Geizh
der Betrieger den Betrieger verabscheuen. Bestr
dich also tugendhaft zu seyn; solltest du auch
nen andern Lohn, als den Beyfall deines eige
Herzens davon tragen.

Der Gottlose fliehet, wenn ihn schon Niemand
folgt; der Gerechte aber wird beherzt und r
Schrecken seyn, wie ein Löw. Prov. 28.

Wer der Gerechtigkeit nachgeht, wird Ehre fin
Prov. 21. 21.

XII.

Sey redlich und aufrichtig, und prale r
mit erborgten Tugenden. Die Maske der Glei
rey wird am ersten vom Gesicht gerissen, und d
folgt für das unrechtmäßig empfangene Lob, H
und Spott.

Sey kein Heuchler vor den Augen der Mens
habe Acht, damit nicht vielleicht Gott entde
was in dir verborgen ist, und werfe dich mi

in der Verſammlung nieder, weil du mit beshaf=
ten Gemüth zum Herrn getreten biſt, und dein
Herz voll Liſt und Betrug war.   Ecclef. 1.
37. 38. 39. 40.

XIII.

Haſt einmal einen Stand erwählt, ſo halte
feſt, und ſuche dich darinn ſo vollkommen zu
chen, als es dir möglich iſt; prüfe dich aber
deiner Wahl, ob du genugſame Kräfte und
nöthigen Eigenſchaften dazu habeſt.   Wer ſich
e die gehörigen Talente zu hohen Aemtern hin=
ringt, macht ſich verächtlich, und erlebt Schand
Spott, und wäreſt du auch der erſte Liebling
tes Fürſten.

s dir zu hoch iſt, das ſuche nicht, und was
dir zu ſtark iſt, dem forſche nicht nach.   Ec=
clef. 3. 22.

XIV.

Der Weiſe richtet ſich nach ſeinem Stand.
s dem Krieger geziemt, ſchickt ſich nicht für den
ndelsmann, und der Prieſter darf nicht alles
n, was dem Weltmanne erlaubt iſt.

s iſt allen Menſchen nicht nuß.   Eccles. 37. 31.

Dinge haben ihre Zeit.   Ecclef. 3. 1.

XV.

XV.

Erhebt dich das Glück zu hohen Würden, übernimm dich deiner Größe nicht, auch wenn den Ehrenposten verdienet hast. Bedenke, daß Eichbaum mehr, als das niedrige Gesträuch d Sturmwind ausgesetzt sey, und der Blitz am n sten Thürme und hohe Gebäude treffe.

Rühme dich auch deines Reichthumes ni Geld adelt nie das Herz, und dann ist Reichth ein so schwankendes Gut, das Zufall gab und n men kann.

Wer sein Haus hoch macht, der sucht den Niederf Prov. 11. 16.

XVI.

Bist du von niedrigem Herkommen zu hol Würden gelangt, so erinnere dich deiner Gebi Dieß wird dich vor Stolz und Uebermuth bew ren, und dir die Achtung des Adels und des B gers gewinnen, so wie dich das Gegentheil d allgemeinen Hohngelächter Preiß geben wird.

Die Hoffarth ist vor Gott und den Menschen v haßt. Ecclef. 10. 7.

XVII.

Laß dich mit Mächtigen in keinen Streit e denn dies wäre eben so viel, als wolltest du d

ein

nem reiſſenden Strom widerſetzen. Eine beſchei=
ne Nachgiebigkeit iſt das beſte Mittel gegen Ue=
rmacht und Autorität.

iderſtreb den Mächtigen nicht ins Angeſicht, noch
  unterſtehe dich den Strom mit Gewalt aufzu=
  halten. Ecclef. 4. 3.

as für eine Gemeinſchaft ſoll der Keſſel mit dem
  irrdenen Topf haben? Denn wenn ſie aufein=
  ander ſtoſſen, ſo wird der Topf zerbrochen. Ec=
  clef. 13. 3.

XVIII.

Schlage nie einen guten Rath aus; auch der
ngelehrte bemerket oft Dinge, die dem größten
Beiſen entwiſchen. Wenn du dich von deinem We=
e verirret haſt, ſo laſſeſt du dich gerne, und ohne
  erröthen, von einem Knaben wieder auf den
chten Weg leiten: warum willſt du das nicht auch
m gemeinen Leben thun?

Ver weiſe iſt, der höret Rath. Ecclef. 12. 15.

XIX.

Niemand bedarf mehr eines guten Rathes, als
eute, die dem Glücke im Schoos ſitzen; wenn
ie ihn gleich am wenigſten annehmen. Sie dünken
ch unfehlbar, weil ſie reich ſind. Sie thun auch
lles nach ihrem Kopf, befördern aber immer ihr
igenes Verderben.

Ein

Ein reicher Mann dünket sich auch ein weiser Ma
zu seyn. Prov. 28. 11.

Der Narren Glück wird sie zum Verderben bring
Prov. 1. 32.

XX.

Lasse heftigen Begierden nie den Zügel, sie w
den sonst mit deinem Verstand, wie das unb
dige Pferd mit seinem Reiter, durchgehen.
Leidenschaften gleichen einem Fluß, der, so la
er im Ufer bleibt, Heil und Segen bringt, l
seinem Austreten aber die gräßlichsten Verwüstung
anrichtet.

Erlaubest du deiner Seele ihren Begierden zu f
gen, so wird sie machen, daß sich deine Fein
über dich freuen.

XXI.

Gieb Ohrenbläsern und Schmeichlern kein G
hör.   Ihre Worte sind Fallstricke, die sie dein
Eigenliebe legen.   Doch sey auch mistrauisch geg
die Lobsprüche deiner Freunde; denn ihre Liebe ka
sie blind gegen deine Fehler machen.   Findest
aber einen Freund, der dir deine Fehler offen i
Gesicht sagt, so schätze ihn gleich einem Edelstei
Allein noch ungleich nützlicher kann dir der Tat
deiner Feinde werden.

Es ist besser von einem Weisen bestrafet, als dur
der Narren Heucheley betrogen werden.   E
clef. 7. 6.

XXI

XXII.

Eigenſinn iſt immer das Merkmal eines ſchwa=
ı Kopfes: der Weiſe wird nie ſeine Meinung
tnäcfig vertheidigen, und wenn ſein Gegner Recht
. gern auf die Seite der Wahrheit treten.

m Wort der Wahrheit ſollſt du nicht widerſprechen.
Ecclef. 4. 30.

·e nicht um ein Ding, das dich nicht beſchwert.
Ecclel. 11. 9.

iſt einem Menſchen eine Ehre, daß er ſich vom·
Zanf abſondere. Prov. 20. 3.

XXIII.

Faſſe nie einen Entſchluß, ſo lang dein Ge=
:h in Zorn und dein Blut in Wallung iſt; denn
zorniger Menſch gleichet einem aufgebrachten·
·r, der ſelbſt in die Lanze des Jägers lauft.·
·s du alſo immer im Zorn unternimmſt, wird
dich zurückfallen. Das erzürnte Gemüth hört
Stimme der Vernunft nicht; was aber ohne·
·nunft unternommen wird, kann nie einen guten
·gang gewinnen.

·r ſich leicht zum Zorn und Unwillen bewegen
läßt, der wird geneigt ſeyn zum ſündigen. Prov.
19. 22.

·r ungeduldig iſt, der wird ſchaden leiden. Prov.
19. 19.

XXIV.

XXIV.

Haſt du gefehlt, ſo beſſere dich; denn ni
wieder thun, iſt die beßte Reue. Bekenne au
deinen Fehler freywillig, und man wird ihn l
nur zur Hälfte anrechnen, und du kannſt ſogar d
ne Feinde dadurch beſänftigen.

Schäme dich nicht, deine Sünden zu bekennen: ſchä
dich nicht, für deine Seele die Wahrheit zu t
den: denn es iſt eine Scham, die Ehr u
Tugend mit ſich bringt. Ecclef. 4. 24. 25. 2

XXV.

Meide den Umgang mit halsſtarrigen, ol
auch unbeſonnenen, leichtſinnigen Menſchen; de
mit dieſen unruhigen Köpfen iſt nichts zu gew
nen, und ihr Umgang wird dich früh oder ſpät
Unannehmlichkeiten verwickeln. So laſſe dich a
in keine Vertraulichkeit mit Scheinheiligen ei
denn ſie halten blos deswegen die Larve der S
gend vor das Geſicht, um andere zu verführ
und ſich die Gunſt ihrer Vorgeſetzten zu erheuche
wenn ſie gleich nicht zu verhindern wiſſen, t
nicht ihre wahre Geſtalt manchmal hervorſteche.

Rede nicht viel mit einem Narren, und geh ni
um mit einem Unwitzigen. Ecclef. 22. 14.

Hüte dich vor einem giftigen Menſchen; denn er g
mit böſen Stücken um; er verkehret das G
zum Böſen, und ſtellet heimlich nach, und n
a

ausgewählt gut ist, darauf weiß er eine Ma=
ckel zu legen. Eccles. 11. 33. 35.

XXVI.

Behaupte dein Recht nie durch Lügen und fal=
Griffe; denn ein Lügner macht sich wenigstens
ichtig, daß er unrecht habe. Wahrheit geht
ofner Stirne einher und nimmt keinen Umweg.

sich auf Lügen verläßt, der nähret die Winde.
Prov. 10. 4.

auf verkehrten Wegen geht, wird einmal zu
Boden fallen. Prov. 28. 18.

XXVII.

Halte dein Wort: aber bedenke dich wohl, be=
du es giebst. Zeige in all deinen Handlungen ein
nes redliches Wesen; denn wer andere nicht be=
t, wird auch von andern nicht so leicht betro=
werden.

verkehrtes Herz ist dem Herrn ein Greuel;
aber er hat Wohlgefallen an denen, die einfäl=
tig wandeln. Prov. 11. 20.

XXVIII.

Das Böse und Gute der Welt dienet dem
isen zum Unterricht. Alles ist lehrreich für ihn.
scheinbare Glück der Bösen wird ihn nicht täu=
schen;

ſchen : denn er wird einſehen, daß der Laſterh
nie wahrhaft glücklich. So wird ihn auch das ſch
bare Unglück des oft leidenden Tugendfreundes r
vom Wege des Guten abſchrecken, weil ein rei
Gewiſſen über alles Unglück erhebt.

Ein weiſer Mann wird Gutes und Böſes unter
  Menſchen ſuchen. Eccleſ. 39. 5.

XXIX.

Bücher ſind eine reiche Quelle von Weiſh
Leſen iſt alſo der angenehmſte und nützlichſte ?
vertreib. Die Geſchichtsbücher der Welt ſind
redender Beweis von der Vergänglichkeit men
licher Größe. Königreiche werden zerſtöret, au
klärte Nationen verſinken in Barbarey, die ge
Oberfläche der Erde iſt tauſend Verwandlungen
terworfen ; aber die unerſchütterliche Tugend
Weiſen glänzt unverändert durch Jahrtauſende.
cher ſchmeicheln nicht, wenn ſie die Thaten verſto
ner Monarchen erzählen. Was für eine elende
gur macht nicht der Weltbezwinger Alexander ne
dem weiſen Sokratees ?

Ein weiſer Mann wird der Weisheit aller Alten n
  forſchen. Das wird er wohl behalten,
  namhafte Männer erzählen. Eccleſ. 39. 1

Der Weiſe wird Acht geben auf die Sprüche und
  die Auslegung, und auf die Worte der Wei
  Prov- 1. 6.

X

XXX.

Meide den Umgang mit Verläumdern. Sie sind
Pest der Gesellschaft ; mußt du aber mit ih=
nmgehen, so gieb auf deine Reden Acht.   Es
auch Menschen, die nur deßwegen von An=
übel reden, um deine Meinung auszuforschen.
diesem Falle mußt du dir die abwesende Per=
von der die Rede ist, als gegenwärtig vor=
n, und nichts sagen, was du ihr nicht ins
ht zu sagen getrautest.

Verläumder ist ein Greuel bey den Menschen.
Prov. 24. 9.

dich, daß du mit deiner Zunge vielleicht nicht
strauchelst, und zu Boden fallest vor den Au=
gen deiner Feinde, die dir nachstellen, und daß
zu deinem Fall kein Rath sey bis zum Tod
Eccles. 28. 30.

XXXI.

Es ist eine unglückliche Eigenschaft, über die
r seiner Mitmenschen zu spotten ; denn sie
t nichts, als Feinde, und die Pfeile fallen ge=
iglich auf den zurück, der sie abdrückt.   Je
zer der Spott ist, je tiefere Wunden schlägt
aber in dem Munde grosser Herren, dringt er
ns Mark und wird tödtend. Spotte also nicht;
fliehe auch die Gesellschaft der Spötter.

B

Der

Der Spötter suchet Weisheit, und findet sie ni
Prov. 14. 6.

Wenn man mit der Geissel schlägt, macht es Et
men; aber der Zungen Streich zerbricht
Bein. Ecclef. 28. 21.

XXXII.

Der Weise wird nie eitel seyn, und mit
nen Verdiensten, oder Wissenschaften pralen; i
er kennet seine eigene Unvollkommenheit, und n
daß alles menschliche Wissen so viel als nichts
Es macht auch nichts lächerlicher, als Eigen
so wie ein eitler, pralerischer Mensch der uner
lichste Gesellschafter ist.

Laß dich einen Andern loben, und nicht deinen M
Prov. 27. 2.

Erniedrigung folget dem Hoffärtigen, und wei
müthig vom Geist ist, der wird die Ehre
nehmen. Prov. 29. 23.

XXXIII.

Lobe die Tugend auch an deinem Feind,
wo du sie immer findest; denn dieß ist ein
weis, daß du selbst tugendhaft bist. Wer
süchtig gegen fremdes Verdienst ist, dessen He
nicht ganz rein. Der Gute freuet sich des
und Schönen in der Welt.

Verbiethe keinem Gutes zu thun, ders ver

———

kannſt du, ſo thue auch ſelbſt Gutes. **Prov.**
29. 23.

XXXIV.

Halte dich ruhig bey Verläumdungen und
ı Nachreden; zeige aber der Welt durch dein
agen, daß du ſie nicht verdieneſt. Je mehr
ᵗ du an deiner Verbeſſerung arbeiten. Dieß
as beßte Mittel, deine Feinde zu beſchämen.

ᵗ dich in vielen Dingen, als wenn dir nichts
bewußt wäre: Höre zu, und ſchweige. **Ecclef.**
32. 11.

iſt eine falſche Züchtigung, welche im Zorn
von einem geſchieht; und iſt einer, der ſchweigt,
derſelbe iſt verſtändig. **Eeclef.** 19. 28.

XXXV.

Eine höfliche, eingezogene und angenehme Le-
art, macht bey Jedermann beliebt, und gewinnt
ᵗ die Gunſt derjenigen, die uns anfänglich
ᵗ ſehr geneigt waren; ein halsſtarriger, unru-
ᵗ Kopf hingegen bringt endlich ſeine beßten
nde wider ſich auf, und wird in keiner guten
llſchaft mehr geduldet.

lieblich Wort macht viel Freund, und ſtillet
die Feinde. **Ecclef.** 6. 5.

gelinde Antwort bricht den Zorn ab; aber
ein

ein hart Wort erweckt den Grimm. Pr
15. 1.

XXXVI.

Es giebt noch eine Gattung von Mensc
denen man ausweichen muß; nämlich jene,
auf ihre Reputation gar zu empfindlich sind. S
der Weise weiß auch diese Klasse zu ertragen,
dem er ihrem Aufbrausen bescheiden nachgiebt.

Blaset man auf einen Funken, so geht er an
ein Feuer: wenn man aber darauf speyet
wird er auslöschen. Ecclef. 28. 14.

XXXVII.

Handle edel an deinen Feinden, und
dich an ihnen durch Wohlthun. Je grösser t
Gewalt über sie ist, desto weniger mußt du
ihrer bedienen. Dieser Sieg über dich selbst
mehr Ehre bringen, als jener, den du übe
davon getragen hast.

Wenn dein Feind Hunger hat, so speise ihn,
wenn er Durst hat, so gieb ihm Waffe
trinken. Prov. 5. 21.

Freue dich nicht, wenn dein Feind zu Boden
und laß dein Herz über seinen Fall nicht
locken, daß es der Herr vielleicht nicht
und nehme seinen Zorn von ihm.

XXXV

XXXVIII.

So großmüthig du mit deinem Feind umge=
, so vorsichtig mußt du auch gegen ihn seyn.
giebt feindselige Herzen, die durch keine Wohl=
n zu gewinnen sind, und deine Großmuth
icht für Schwachheit halten.   Du darfst also
: verstellten Freundschaft nie trauen; denn ihre
r Worte sind Fallstricke, und ihre Küsse giftig,
der Biß der Schlange.

raue deinem Feind nimmermehr — und ob er
sich schon demüthiget und neiget sich, wenn er
daher geht, so merke doch auf ihn, damit er
sich vielleicht nicht umwende, und an deine
Statt trette, und nach deinem Stuhl trachte.
Eccles. 12. 10.

XXXIX.

Willst du einen Freund haben, so muß dein
selbst der Freundschaft fähig seyn.   Wer nur
nde sucht, ohne selbst Freund zu seyn, wird
einen beständigen Freund finden.   Was dir
Freund vertraut, sey ewig ein Geheimniß,
deine Freundschaft sey ein Mantel seiner
sachheiten.   Nachsicht und Verschwiegenheit sind
estesten Bande der Freundschaft.

treuer Freund ist ein starker Schirm, wer ihn
gefunden hat, hat einen Schatz gefunden.
Eccles. 6. 14.

Wenn

Wenn du schon über deinen Feind das Sch
gezuckt hast, so gieb es doch nicht für ver
ren; denn du hast wieder einen Zug
wenn du auch deinen Mund wider den Fr
aufgethan, und ihn betrübt hast, so si
dich nicht; denn man kann sich wieder
söhnen; ausgenommen, wenn Lästerung
gefallen, oder Offenbarung der Geheim
und betrügliche Beleidigung; denn um
dieser Ursachen willen wird ein Freund
dir fliehen. Ecclef. 22. 26.

XL.

Traue nicht Jedermann, und öffne dein
nicht jedem Fremden. Doch mache auch selbst
ter deinen Freunden einen Unterschied; denn
Geheimniß ist nicht für jeden Freund. Ein u
sichtiges Vertrauen kann dich lebenslänglich un
lich machen. Ein falscher Freund ist gefährl
als ein erklärter Feind.

Wenn du Gutes erweisest, so wisse, wem
thust, alsdann wirst du großen Dank
für deine Wohlthat. Ecclef. 12. 1.

Was du im Sinn hast, das sollst du weder
Freund, noch dem Feind vermelden, und
einige Sünd bey dir ist, die sollst du
entdecken. Denn einer wird dich anhören
wird auf dich merken; er wird sich wo
nehmen, als wenn er deine Sünde en
digte, und wird dich hassen. Ecclef. 19.

XLI.

Begehre von deinem Freund nie eine Gefällig=
. die nicht in seinem Vermögen ist; schlage aber
ihm jede Gefälligkeit ab, die wider Ehre
gutes Gewissen wär. Was aber in deinem
mögen steht, und sich mit der Rechtschaffenheit
rägt, das thue gern und willig für ihn. Das
indstück gewinnt noch einmal am Werth, wenn
us freyem Herzen geschieht.

rich nicht zu deinem Freund: Gehe hin, und
komm wieder; ich will dirs Morgen geben,—
wenn du es alsobald geben kannst. Prov. I.
21.

nn du Gutes thust, so klage nicht, und in all
deinen Gaben gieb keine traurige, oder böse
Worte; dergleichen Worte übertreffen eine gute
Gabe. Eccles. 11. 11.

XLII.

Ein Freund kann dir nicht immer nützen;
ein Feind, so klein er ist, kann allzeit dir
den. Der größte Mann ist oft durch einen
ichtlichen, unbedeutend scheinenden Feind ge=
zt worden. Verachte also Niemand, aber vor
m hüte dich dir keine ganze Gemeinde, oder
brüderung, oder einen ganzen Stand zum Feind
machen, du wirst sonst unausbleiblich ein Opfer
r Rache.

Ver=

Vergreif dich nicht wider den gemeinen Haufen i
Stadt, und laß dich mit dem Volk nicht e
Eccles. 7. 7.

XLIII.

Es zeigt ein abscheuliches Gemüth an, we
man seinen Freund und Gutthäter nicht mehr e
tet, weil er in Unglück gerathen, und uns w
mehr Gutes thun kann. Noch abscheulicher wär
wenn du ihn in die Hände seiner Feinde liefert
oder seine Geheimnisse offenbartest. So eine I
rätherey wird dich vor Gott und den Menschen r
ächtlich machen.

Verlaß einen alten Freund nicht; denn der N
wird ihm nicht gleich seyn. Eccles. 9. 14

Wer Gutes mit Bösem vergilt, von dessen H
wird das Unglück nicht weichen. Prov. 17.

XLIV.

Ein ehrlicher Mann wird nie Reden auff
gen, und einem andern zutragen. Er würde
zum Spion herabwürdigen, und das ist das h
lichste Geschäft unter Gottes Sonne. Solche
träger sind eine Pest der Gesellschaft; sie brin
die Zwietracht in alle Stände, und das engste B
der Freundschaft wird durch sie zerrissen. Verm
de also ihren Umgang; denn du hast von ihr
nichts als Unheil, Misverständniß und Uneinig
zu erwarten.

Er

chs Dinge ſind, die haſſet der Herr, und vorm
ſiebenten hat ſeine Seele Abſcheuen, vor dem=
jenigen, der unter Brüdern Uneinigkeit ſtiftet.
Prov. 6. 16.

rſucht iſt ein Ohrenblaſer, und einer, der zwey=
zůngig iſt; denn er wird Unruh anrichten unter
vielen, die Fried mit einander haben. Eccleſ.
28. 15.

te dich, daß man dich keinen Ohrenblaſer nenne;
denn auf einen Ohrenblaſer fällt Haß, Feind=
ſchaft und Schmach. Eccleſ. 5. v. 16. 17.

XLV.

Wer feindſelige Gemüther verſöhnet, Zwie=
cht und Streitigkeiten hebt, wüthende Löwen
ch ſanfte Beredſamkeit in gutmüthige Lämmer
wandelt, iſt ein Engel des Friedens, und fühlet
imliſche Wonne.

e friedliebende Zunge iſt ein Baum des Lebens.
Prov. 15. 4.

XLVI.

Ein Weiſer wird immer Herr über ſeine Zun=
ſeyn. Er wird nie über Dinge reden, die er
ht verſteht, weil er weiß, daß es keine Schande
nicht alles zu wiſſen. Der Thor hingegen plau=
t über alles, und iſt je unverſchämter, je weni=
er verſteht.

Wer

Wer seinen Mund bewahrt, der bewahret sei
Seele; wer aber unbedachtsam ist im Red
der wird erfahren, daß ihm Böses begeg
Prov. 13. 3.

Viel Reden wird nicht ohne Sünde abgehen; w
aber seine Lippen mäßiget, der ist we
Prov. 20. 19.

XLVII.

Wer nicht verschwiegen ist, kann zu wichti
Geschäften nicht gebraucht werden; er sey nun
Subalterner, oder ein Vorgesetzter. Man n
aber auch nicht in den entgegengesetzten Fehler
len, und aus jeder unbedeutenden Kleinigkeit
Geheimniß machen.

Ein Mann, der seinen Geist im Reden nicht t
einhalten, der ist wie eine offene Stadt,
mit Mauren nicht umgeben ist. Prov. 25.

XLVIII.

Der wahre Weise bleibt nicht gefühllos
den Schlägen des Schicksals; er wird aber imm
genug Gegenwart des Geistes übrig behalten,
sich nicht der Verzweiflung zu überlassen. Du
Jammern und Thränen wird das Unglück n
gehoben; wohl aber durch Aussinnung guter Mi
und Thätigkeit.

W

enn du matt wirſt am Tag der Angſt, und ver=
zweifelſt, ſo wird es dir an Kräften abgehen.
Prov. 24. 10.

alte dich ein zur Zeit der einfallenden Betrübniß.
Ecclef. 2. 2.

XLIX.

Lügen iſt ein abſcheuliches Laſter, und koſtet
ehr Mühe, als Wahrheit reden. Der Lügner
nn eine Sache nicht zweymal erzählen, ohne in
rcht zu ſeyn, daß man ihn auf einer Lüge er=
ppe. Wer einem würdigen Manne eine Lüge ge=
gt hat, darf nie wieder auf ſein Vertrauen
hnen.

ie Sitten der Menſchen, welche lügen, ſind un=
ehrlich, und ihre Schmach hanget ihnen an
ohne Aufhören. **Ecclef. 20. 28.**

as Lügen iſt ein ſchändliches Laſter am Men=
ſchen. **Ecclef. 20. 26.**

L.

Es iſt leichter einen hohen Ehrenplatz zu er=
alten, als ihn zu behaupten. Wenn ich einen
ohen Berg hinangeſtiegen bin, ſo kann ich aus=
ahen; allein auf dem Gipfel der Ehre muß man
rſt doppelte Kräfte zuſammen nehmen. Groſſe Höhe
macht ſchwindlicht; der kleinſte Fehltritt auf der
ſchma=

schmalen Oberfläche kann uns in den Abgrund [
unck stürzen.

Hast du einen Mann gesehen, der fertig ist in s
    nem Werk? der wird vor den Königen stehe
    Prov. 22. 29.

LI.

Spiele nie mit deinen Vorgesetzten; ob
wenn du spielen mußt, so lasse sie gewinnen! gro
Herren wollen nicht dafür angesehen seyn, als v
stünden sie das Spiel nicht; am allerwenigst
aber können sie es vertragen, daß ihnen das Gl
weniger günstig sey, als ihren Untergebene
Hüte dich auch, je mit ihnen in einen Wortstr
zu kommen, oder ihre Fehler zu rügen; am all
wenigsten aber betrage dich zu vertraulich geg
sie.

Lasse dich beym König nicht weise dünken. Eccl
    7. 5.

Widerstrebe den Gewaltigen nicht ins Angesic
    Ecclef. 4. 32.

Rede dem König nicht übel nach in deinen G
    danken; denn es werden auch die Vögel d
    Himmels deine Stimme vortragen. Eccl
    10. 20.

LI

LII.

Suche nicht jenen Menschen zu gleichen, die
Gewalt alles eben machen wollen, und doch
in keiner Sache zu einem wahren Entschluß
nnen. Doch sey auch nicht aus der Zahl der-
igen, die aus lauter Besorglichkeit und Nach-
beln den wahren Zeitpunkt der Thätigkeit vor-
lassen. Um etwas zu gewinnen, muß man
as wagen; nur muß auch beym Wagen die
igheit unsre Führerin seyn.

b deinem Verstand Ziel und Maaß. **Prov.**
23. 4.

y nicht zu viel gerecht, sey auch nicht weiser,
als vonnöthen ist. Ecclef. 7. 17.

LIII.

Das ächte Kennzeichen des Weisen ist ein fröh-
es Gemüth. Anhaltende Traurigkeit schlägt die
ele darnieder, und entkräftet den Leib; sie ver-
ndert die Tugenden, und vermehret die Laster.
t rührt die Traurigkeit von schwarzer Galle her;
h auch dieses Uebel wird selten den Weisen
gen, weil es gemeiniglich die Folge einer un-
entlichen Lebensart ist, der Weise aber mäßig,
d ordentlich lebt.

eibe die Traurigkeit weit von dir hinweg; denn
Traurig-

Traurigkeit hat viele Leute getödtet, und |
hat keinen Nußen. Ecclef. 30. 25.

Vom Trauern kommt der Tod geschwind, ur
bedecket die Kräften. Ecclef. 38. 19.

LIV.

Der Leichtsinnige liebt das Gute nicht d
Guten wegen; und bleibt daher auch nicht t
ständig im Guten; ein Weiser aber läßt nie v
seinem guten Vorhaben ab. Er opfert auch, r
der Leichtsinnige es thut, einer eitlen Hoffnung r
gen, nie das Gewisse dem Ungewissen auf. (
genießet sein' Glück in Ruh und Frieden, u
mischt sich nie in zu viele Händel.

Wie ein Vogel, der aus seinem Nest hinwegweic
so ist ein Mann, der seine Stadt verlä
Prov. 27. 8.

Eines unverständigen Mannes Hoffnung ist ei
und betrüglich. Ecclef. 34. 1.

LV.

Der Weise wird seine Blutsverwandten
übermäßig lieben, er wird sie nicht bereiche
und selber dabey darben. Es ist Thorheit, l
Lebzeiten sein Vermögen ausser Händen zu geb
und sich von seinen Verwandten abhängig zu r
chen. So eine übelverstandene Gutherzigkeit mc
t

Undankbare, und wurde noch immer — aber
zu spät — bereuet.

ret mir zu ihr grosse Herren, und alle Völker;
und merket auf mit den Ohren, die ihr der
Gemeinde vorsteht. Gieb deinem Sohn und
deinem Weib, deinem Bruder und deinem
Freund keine Gewalt über dich, so lang das
Leben in dir ist; gieb auch dein Gut keinem
Andern, daß es dich vielleicht nicht gereue,
und darum bitten müssest; denn es ist besser,
daß deine Kinder dich bitten, als daß du
deinen Kindern nach den Händen sehen sollst.
Eccles. 33. 20.

LVI.

Sage nicht leicht für Jemanden gut, und
sprich dann nicht mehr, als du zu zahlen ver-
gst: halte dann aber auch dein Wort unver-
ßlich. Leihest du Geld, so sehe wohl darauf,
m du es giebst, damit dein, und deines Freun-
s Vermögen nicht in Gefahr gerathe.

rbürge dich nicht höher, als dein Vermögen ist;
im Fall du dich aber verbürgest, so gedenke,
wie du bezahlst. Eccles. 8. 16.

iele sind, die halten das Vorgestreckte, als wenn
sie es gefunden hätten, und machen denje-
nigen Beschwerniß, die ihnen geholfen haben.
So lang sie etwas empfangen, küssen sie die
Hand desjenigen, ders ihnen giebt; wenn aber
die Zeit der Zahlung kommt, giebt es verdrieß-
liche Worte und Murren. Eccles. 29. 4.

LVII.

LVII.

Bist du reich, aber ohne Geburt, so laß d
mit dem Adel in keine Verbindung ein, du zie
dir sonst grosse Verdrißlichkeiten auf den Ha
So lang deine Tafel reichlich besetzt ist, und d
Gold ihnen die Augen blendet, werden sie den Bi
ger an dir nicht sehen, und gerne deine Gäste se
Kaum aber merken sie, daß die Tafel abnimm
und dein Säckel leer wird, so werden sie dich ni
weiter kennen, und deinen Umgang fliehen, und
kannst noch vom Glücke reden, wenn sie dei
nicht öffentlich spotten.

Wer sich zu einem gesellt, der ansehnlicher, als
der ladet eine Last auf sich. Wenn du i
etwas schenkest, so wirst du ihm angeneh
seyn, wenn du aber nichts hast, so wird
dich verlassen. Ecclef. 13. 2. 5.

LVIII.

Ordnung ist die Seele der Geschäfte.
reichste Haus muß zu Grunde gehen, wenn ke
Ordnung darinn herrscht. Ordnung erhält die W
Länder und Familien. Sey also ordentlich in
nem Thun und Lassen. Die Unordnung im H
wesen läßt auch sicher auf die Unordnung dei
Seele schliessen; denn ein wahrer Philosoph
nie über seinen Berufsgeschäften das Wohl sei
Familie vergessen.

All

s, was du ausgiebst, das liefere nach der Zahl und im Gewicht, aber schreib auch alles an, was ausgegeben und empfangen wird. Eccles. 42. 7.

LIX.

Wir leben nicht, um zu essen, sondern essen, zu leben; daher wird sich der Weise nie der welgerey überlassen.   Wir sind auch nicht blos Denken, sondern auch zum Handeln hier; er wird sich der Weise eine anständige Beschäftigung wahlen.   Müßiggang ist die Grundquelle der meisten Laster.   Er ersticket die besten Leibes = und Seelenkräfte, und führet die Armuth herbey; Dürftigkeit und Armuth aber sind die Schwelgeltern des Lasters.

Wer dem Müßiggang nachgehet, der wird mit Armuth erfüllet werden. Prov. 28. 19.

Müßiggang hat viel Böses gelehrt.   Eccles. 33. 29.

LX.

Halte dich anständig in Gebärden und Kleidung, und vermeide Karrikatur und Grimasse. Denn wie die Wahrheit einfach und simpel ist, so sollten es auch die Gebärden, und die Tracht des Weisen seyn. Ein Mann, der immer in neuer Kleidung erscheint, einen hochmüthigen Gang geht, die

C   Ku=

Augen verdreht , mit den Händen spricht, zur U
zeit lacht u. s. w. wird von den Klugen für ein
läppischen Schwindelkopf gehalten.

Aus dem Ansehen wird der Mann erkennet , u
aus dem Gegenwurf des Angesichts kennet m
einen Verständigen.   Die Kleider am Le
das Lachen der Zähne, und der Gang i
Menschen zeigen an, wer er sey. Ecclef.
26. 27.

LXI.

Beneide endlich das Glück derjenigen ni
die sich durch Kabale und unerlaubter Mittel
aufgeschwungen haben: Sie geniessen, so wie
Dieb bey seinem gestohlnen Gut, wenig ru
Augenblicke, und werden von den Klugen
Rechtschaffenen verachtet. Nur jenes Glück schm
süß, welches wir unsern Verdiensten , unserm J
und der Tugend verdanken.

Eifere nicht mit einem ungerechten Menschen
folge ihm nicht nach auf seinen Wegen. Pi
3. 31.

Wer Gut mit Unrecht zusammen bringt, der
melt für andere, und es wird ein Fre
sein Gut in Wollust verschwenden.   Ec
14. 4.

Anhang

einiger

Weisheit = oder Denksprüche.

Was die Natur angefangen, vollendet Zucht.

Die Natur zeugt nur Geschöpfe; Kunst macht sie zu Menschen.

Das Laster fliehen, heißt die Tugend suchen.

Tugend besteht in thätiger Ausübung.

Wer niemal beginnt, bringt nichts Ende.

Im Mittel besteht die Tugend.

Wer ein Laster meidet, begeht oft andere.

Das Laster nimmt oft die Gestalt Tugend an.

C 2　　　Weis=

Weisheit ist die Lehrerin des Lebens.

Weisheit ist jedem Stand erlaubt.

Liebe die Tugend, der Tugend ↄ
Liebe.

Niemand ist allgewaltig, als Gott.

Die Gottlosigkeit erwecket alles Uek

Ein Böswicht strafet den andern.

Liebe wird durch Gegenliebe erhalte

Wahre Freundschaft ist uneigennützi

Sieh mehr auf deinen Balken, als
auf des andern Splitter.

Misgunst ist der Liebe Tod.

Wer vergnügt ist, hat allezeit genuₙ

Mäßigkeit ist das höchste Gut.

Der Wolluſt Wucher iſt Reue.

Wo Sünde iſt, da iſt Strafe.

Der iſt allein reich, der Reichthum achten kann.

Wer in ſteter Furcht lebt, hat Strafe ıug.

Wer von vielen gefürchtet wird, muß h viele fürchten.

Geld beherrſcht alles.

Geld iſt nur ein Mittel zur Glückſe-leit.

Geldgeiz iſt der Ehrbarkeit Feind.

Wo es Gold regnet, iſt kein Dach zu ıt.

Glück ändert die Natur nicht.

Geldbegierde iſt eine Henkerin des müthes.

Der Geiz iſt nicht zu ſättigen.

Ein Laster ist niemal allein.

Reichthum ist gut den Guten.

Viele Köpfe, viele Sinne.

Niemand ist mit seinem Schicks
zufrieden.

Der Weise allein ist frey.

Unschuld ist überall sicher.

Das böse Gewissen ruhet nie.

Wer Recht thut, der thut es öffen
lich.

Die Musen sind, und machen u
sterblich.

Lachen zur Unzeit ist närrisch.

Tugend ist der Misgunst Augenmer

Mit dem Tod hört der Neid auf.

— Die Zeit ist unwiderbringlich.

Alles unterliegt der Veränderung.

Nichts ist flüchtiger als das Leben

D

Das Alter hat mancherley Gutes.

Bekümmere dich nicht zu sehr um Zukunft.

Der Tod herrscht über alles.

Laß uns leben, daß wir den Tod t fürchten.

Der Tod kommt, ehe wirs gewahr den.

Im Tod sind wir alle gleich.

Der Tod ist das End aller Dinge.

Das

Das goldene A B C.

Auf Gott allein setz dein Vertrau'n!
Auf Menschenhilf sollst du nicht bau'n.
Gott ist allein, der Glauben hält.
Sonst ist kein Glauben in der Welt.

*   *   *

Bewahr, und hüte dich vor Schand:
Denn Ehre ist das beste Pfand.
Es brauchet nur ein klein Vergeh'n,
So ists um deine Ehr gescheh'n.

*   *   *

Claff nicht zu viel, und höre mehr!
Das wird dir bringen Lob und Ehr.
Bescheidnes Schweigen zeigt Verstand;
Doch Plaudern bringt nur Sünd und Schand.

De

'em Größern weich — acht dich gering!

er dich nicht in Unglück bring!

Kleinen auch kein Unrecht thu,

lebst du stets in Fried und Ruh.

* * *

heb dich nicht mit stolzem Muth

n du gelangst zu grossem Gut!

n darum ist's dir nicht verlieh'n,

Stolz der Demuth vorzuzieh'n.

* * *

mm sey dein Herz und tugendhaft!

stärket mehr als Goldes Kraft —

n Geld und Gut sich von dir scheidt,

weicht doch nicht die Frömmigkeit.

*

Gedenk der Armen jederzeit,
Wann du von Gott gebenedeyt.
Weil dir sonst widerfahren kann,
Was Christus sagt vom reichen Mann.

*

Hat Jemand Gutes dir gethan,
So denke immerfort daran.
Zeig auch ein mitleidsvolles Herz
Bey deines Nächsten Noth und Schmerz!

*

In deiner Jugend sollst du dich
Zur Arbeit halten fleißiglich;
Denn gar zu schwer die Arbeit ist,
Wenn du einmal im Alter bist.

ehr dich auch nicht an Jedermann,
r seine Dienst dir bietet an!
ht alles geht von Herzensgrund,
as schön und lieblich redt der Mund.

*

* * *

aß, kömmt ein Unglück über Quer,
n Muth nicht sinken allzu sehr,
nn in dem Unglück lieget oft
n Glück, das man gar nicht gehoft.

*

* *

Nach nicht um Kleinigkeiten Streit
d halt im Zorn die Mäßigkeit;
eil dein Verstand vom Zorn geblendt,
as Recht vom Unrecht nicht erkennt.

Nimm

Nimm Lehren an — am allermeist,
Wenn man dich lehrt, was du nicht weißt.
Wer etwas kann, den hält man werth,
Den Ungeschickten Niemand ehrt.

* * *

O glaube nicht der blossen Sag!
Wenn Jemand führte eine Klag.
Sprich auch das Urtheil nicht so fort,
Und höre eh des Andern Wort!

* * *

Pracht, Hoffarth meide überall,
Daß du nicht kommest in Verfall;
Denn Hoffarth, Eitelkeit und Pracht,
Hat viele in Ruin gebracht.

uál dich in Kreuz und Trübsal nicht!
Gott setz deine Zuversicht —
qnälen macht kein Uebel gut,
ſl aber ein geſetzter Muth.

*

uf Gott mit treuem Herzen an,
Leitung auf der Prüfungsbahn!
ın hilft er dir zu jeder Friſt,
nn es zu deinem Beſten iſt.

*

ieh dich wohl für, die Menſchen ſind
I Bosheit, Argliſt und voll Sünd;
r an die Welt zu ſehr ſich hängt,
rd mit in ihre Sünd gemengt.

*

*   *

Tracht stets nach dem, was recht gethan,
Obs gleich nicht lobet Jederman,
Es kanns auch keiner machen so,
Daß Jeder wär darüber froh.

*

*   *

Verlaß dich nicht auf irrdisch Ding!
Denn was noch irrdisch war, vergieng
Wer aber nach der Tugend strebt,
Der hat ein Gut, das ewig lebt.

*

*   *

Wenn Jemand mit dir Hadern will,
So gieb du nach, und schweige still.
Denn wo kein Widerspruch sich findt,
Da endiget der Zank geschwind.

*

erxeß verließ sich auf sein Heer
d wurde doch geschlagen sehr —
st du im Krieg, so trau auf Gott!
och führe ihn nicht ohne Noth.

*

*

ier all dein Thun mit Redlichkeit
d thu nicht, was nachher dich reut!
enn vor gethan, und nach bedacht .
t Manchen um sein Glück gebracht.